Vérités et mensonges
sur le baclofène

Renaud de Beaurepaire
Entretien avec Claude Servan-Schreiber

Vérités
et mensonges
sur le baclofène

La guérison de l'alcoolisme

Albin Michel

Introduction

L'alcool tue 2,5 millions de personnes chaque année dans le monde selon l'Organisation mondiale de la santé (OMS), ce qui représente 4 % des décès – 9 % chez les jeunes âgés de 15 à 29 ans. Il est de plus responsable de 5 % de handicaps, ce qui fait plusieurs centaines de millions de personnes[1]. Le coût de l'alcoolisme est évalué à 1 % du PNB des pays riches[2]...

En France seulement, il provoque 45 000 décès par an, soit 120 par jour. On inclut dans le nombre de ces décès prématurés ceux qui découlent directement de la toxicité de l'alcool sur l'organisme, et ceux qui sont la conséquence d'actes de violence ou d'accidents de la route dont il est responsable. On évalue le nombre de buveurs excessifs à 6 millions et celui des personnes dépendantes à l'alcool à 2 millions – c'est une estimation : la fréquence de la maladie alcoolique n'est pas facile à calculer avec précision, car les différences entre un buveur « normal » et un buveur « pathologique » ne sont pas claires, et la sensibilité à l'alcool varie énormément d'une personne à une autre.

On sait cependant qu'aujourd'hui en France des milliers de médecins (généralistes, alcoologues, gastro-entérologues, psychiatres) ont à traiter quotidiennement des alcooliques dont l'état se détériore devant eux, des malades qui vont mourir, et, devant ces drames, ils se sentent la plupart du temps totalement impuissants, dénués de moyens efficaces qui permettraient de les aider. Je connais bien cette sensation, je l'ai vécue, j'ai éprouvé le même découragement, la même fatigue, le même désir d'évitement qui conduit à envoyer le patient pour quelque temps dans un centre de cure. Que faire d'autre ? Pendant plusieurs semaines, ou mois, il ne boira plus... puis il reviendra consulter, de nouveau alcoolisé, et tout sera à refaire.

C'est dans ce contexte tout à fait désespérant que j'ai un jour rencontré par hasard un traitement censé guérir l'alcoolisme, et que j'ai commencé à l'utiliser. Sans y croire vraiment, mais tous les médecins ne sont-ils pas ainsi ? Un nouveau médicament arrive, un nouvel espoir ? Je n'y crois pas nécessairement, mais j'essaie. Sait-on jamais ?

Il s'agissait du baclofène.

Le baclofène n'est pas pour les médecins un inconnu : c'est un traitement reconnu des spasmes musculaires qui apparaissent dans certaines maladies neurologiques (par exemple la sclérose en plaques) depuis les années 1960, et approuvé par les autorités sanitaires dans de très nombreux pays, dont la France, depuis le début des années 1970. Les doses maximales recommandées par les autorités sanitaires vont de 75 milligrammes (en médecine de ville) à 120 milligrammes (à l'hôpital) par jour. En revanche, ses effets thérapeutiques dans l'alcoolisme n'ont été découverts qu'en 2004 par un médecin français, Olivier Ameisen, qui l'a expérimenté sur lui-même – pour le récit de cette extraordinaire découverte, je renvoie les lecteurs à son livre, *Le Dernier Verre*[3]. Ameisen était lui-même dépendant à l'alcool : il buvait une bouteille de whisky par jour.

En 2004, il rédige un article rapportant les étapes de sa guérison[4]. Il commence par expliquer que l'objectif habituel du traitement de l'alcoolisme est la réduction du *craving*. Ce terme, utilisé en addictologie, signifie l'envie irrépressible de consommer une substance – la difficulté de trouver un équivalent en français fait que l'on emploie couramment le mot anglais. Longtemps, il a utilisé les méthodes classiques du traitement de l'alcoolisme pour devenir abstinent, sans succès. Il a tout essayé. Il est parvenu à rester abstinent pendant certaines périodes de temps, mais l'abstinence ne supprime pas le craving. S'appuyant sur les publications de chercheurs italiens, le groupe d'Addolorato, qui montrent qu'une molécule, le baclofène, utilisée à petites doses (30 mg/j) réduit le craving pour l'alcool, il l'expérimente ; mais il remarque alors que réduire le craving n'est pas non plus le supprimer.

Pourtant, les articles publiés sur les expérimentations faites chez l'animal montrent que, chez le rat, le baclofène semble éliminer totalement le craving pour la cocaïne et l'alcool. Simplement, cette suppression est obtenue à des doses environ cinq fois supérieures à celles autorisées chez l'homme.

Ameisen note aussi, et c'est important, que les doses de baclofène utilisées par les neurologues sont en réalité couramment bien supérieures aux doses autorisées : c'est un fait connu, publié dans la littérature médicale, et qui n'a jamais donné lieu à contestation ni à polémique. Les neurologues ont d'ailleurs remarqué que les hautes doses de baclofène qu'ils sont amenés à utiliser (jusqu'à 300 mg/jour) n'entraînent pas beaucoup plus de problèmes de tolérance que les doses autorisées, à condition que le traitement soit bien mené (progressivement et attentivement). Par ailleurs, des articles scientifiques démontrent que le baclofène est efficace pour traiter l'anxiété. Or Ameisen est un anxieux : il a même commencé à boire pour lutter contre son anxiété. Quand il a décidé de s'autoadministrer le médicament, il cherchait aussi à obtenir un effet anxiolytique : il se disait que s'il parvenait à être moins anxieux, il aurait peut-être moins envie de boire.

Aussi décide-t-il d'augmenter progressivement les doses. Le 14 février 2004, il atteint la dose de 270 milligrammes (soit vingt-sept comprimés par jour). Or, ce jour-là, il se rend compte qu'il n'est plus question d'anxiété : à cette dose il est tout simplement devenu indifférent à l'alcool. Exactement comme les rats de l'expérimentation. Plus de craving. Il regarde les bouteilles d'alcool, il regarde les autres boire, il regarde l'alcool dans son verre : rien, ça ne lui dit rien, il n'a plus envie de boire. Aujourd'hui, neuf ans plus tard, il a considérablement baissé la dose de baclofène qu'il prend, mais il ne ressent toujours pas de craving…

Le cas d'Ameisen aurait pu n'être qu'un cas clinique isolé. Pas du tout, et loin de là. Depuis, des centaines de médecins ont rapporté un effet similaire d'indifférence vis-à-vis de l'alcool, et des dizaines de milliers d'alcooliques traités ont cessé de boire.

Pour ma part, mon implication a commencé en 2006, année où j'ai rencontré Olivier Ameisen. Je ne suis pas alcoologue, mais psychiatre, je dirige un service de psychiatrie de secteur. Un service de ce type a vocation à soigner toutes les personnes qui habitent dans une aire géographique donnée et présentent des troubles psychiatriques. La psychiatrie publique est ainsi divisée en secteurs qui correspondent à une population d'environ 70 000 à 80 000 habitants. Mon secteur est Vitry-sur-Seine, une commune de 85 000 habitants. Ma « clientèle » habituelle souffre de pathologies qui sont le plus souvent des psychoses, des psychoses schizophréniques, des troubles bipolaires graves. Il y a parfois des alcooliques parmi ces malades, mais ce n'est pas fréquent. Ceux qui souffrent d'un pur alcoolisme, si l'on peut dire, ne sont pas suivis dans les structures comme celle dans laquelle je travaille, mais dans des cliniques ou dans des structures publiques spécialisées en alcoologie, dans des services universitaires, ou encore dans d'autres structures spécialisées dans les addictions. Il y en a plusieurs de ce type à

Villejuif. En revanche, je rencontre souvent ce qu'on appelle des comorbidités, c'est-à-dire des personnes qui souffrent d'une maladie psychiatrique et qui sont également alcooliques.

Je connaissais déjà un peu le baclofène que j'avais utilisé plusieurs années auparavant chez un patient présentant des mouvements anormaux, et j'avais été surpris d'entendre ce patient me dire que le baclofène avait supprimé son anxiété et lui procurait une étonnante sensation de bien-être. C'est la directrice adjointe de l'hôpital Paul-Guiraud, où j'exerce, Muriel Arondeau, qui m'a mis en relation avec Olivier Ameisen. Nous nous sommes rendu compte que nous avions fréquenté les mêmes lieux pendant notre internat. Nous avons sympathisé. Il m'a raconté son histoire. Et j'ai décidé que je prescrirais du baclofène dès que j'aurais un patient alcoolique.

Quelque temps après, j'ai eu justement à soigner deux patients qui souffraient de troubles dépressifs graves et étaient alcooliques. C'était en 2006 et 2007. Je leur ai donc prescrit du baclofène et j'ai été très étonné de les voir atteindre assez rapidement (en quelques semaines) cet état d'indifférence vis-à-vis de l'alcool dont parlait Olivier Ameisen : cela confirmait ce qu'il m'avait dit. Je n'en suis pas moins resté prudent : il faut savoir qu'en médecine, on fait parfois des observations sur un individu, qui ne sont pas généralisables à d'autres. Mais là, grâce à ces deux patients sur lesquels le traitement a très rapidement réussi, j'ai eu la démonstration que le baclofène était une molécule dont l'indication pouvait s'étendre à d'autres malades.

À l'époque, je crois que j'étais le seul médecin en France à le prescrire. Un médecin suisse, le docteur Pascal Gache, avait commencé à le faire à la même époque, ou même peut-être avant, mais aucun autre médecin français, que je sache, ne prescrivait alors du baclofène pour soigner l'alcoolisme.

Ensuite, les événements se sont enchaînés. Dans le livre d'Olivier Ameisen publié en octobre 2008, j'ai été cité comme prescripteur de baclofène, le seul en France. Cela s'est fait avec mon accord : je lui avais évidemment parlé des deux patients qui avaient été guéris par le traitement.

Il se trouve que son livre a rencontré un immense succès, en particulier auprès de personnes qui s'efforçaient désespérément de trouver un moyen de se soigner. Du jour au lendemain, les malades ou leurs proches ont cherché les coordonnées de mon hôpital et les coups de téléphone ont commencé à pleuvoir.

Le secteur géographique en psychiatrie est ce qui assure la proximité et la continuité des soins donnés aux malades : on s'occupe des patients sur le long terme, ce qui est une très bonne chose. Dans les secteurs ville comme le mien, des structures extrahospitalières, des centres de consultation et d'hospitalisation de jour complètent l'activité de l'hôpital. Pour le Val-de-Marne, l'hôpital de référence est celui de Villejuif qui couvre treize secteurs d'hospitalisation, dont celui que je dirige, mais les consultations et ce qui relève de l'hôpital de jour se passent ailleurs qu'à l'hôpital, c'est-à-dire dans ces centres. Le numéro de téléphone que les gens ont trouvé sur Internet était celui du standard de l'hôpital, mais, compte tenu de ce qu'ils demandaient (il ne s'agissait pas d'hospitalisation), les secrétaires ont renvoyé ces appels sur l'extrahospitalier, c'est-à-dire sur le centre de consultation de mon secteur, à Vitry. C'est là que les appels ont été pris en compte.

Ce sont ainsi les secrétaires de ce centre qui ont été en première ligne. C'est sur elles que s'est abattue cette pluie de communications. Devant ces dizaines d'appels au secours quotidiens, elles ont fait preuve d'un comportement tout à fait remarquable et déterminant.

J'hésitais en effet sur la conduite à tenir. Je ne savais pas, à ce moment-là, si le médicament allait se révéler efficace dans certains cas seulement, ou dans un grand nombre d'entre eux, ou même dans tous. Et puis se posait la question de la charge de travail de mon équipe hospitalière. J'estimais qu'il lui serait très difficile de trouver le temps nécessaire pour assumer un supplément de charge. Le secteur de psychiatrie dont je m'occupe est un gros secteur avec des cas extrêmement difficiles, des malades précaires à tous points de vue, des demandes de soins bien supérieures à nos capacités de réponse (la plupart des secteurs de psychiatrie en France connaissent cette situation) et je voyais difficilement comment, en plus du travail habituel, nous pourrions faire face à un nombre supplémentaire de patients susceptible de devenir extrêmement important.

Mais chaque appel portait sur des problèmes particulièrement lourds et urgents. Les secrétaires m'ont fait remarquer qu'on ne pouvait pas refuser de voir ces malades pour lesquels ce traitement représentait un immense espoir.

Il faut savoir que les secrétaires en psychiatrie exercent une fonction qui exige d'elles des qualités exceptionnelles d'attention et de dévouement. Elles ont fait le choix de venir en psychiatrie, et elles sont elles-mêmes devenues, à leur façon, des psychothérapeutes tant elles passent de temps à écouter des malades. Si le même interlocuteur téléphone quarante fois dans la journée, elles ne raccrochent pas (et c'est très difficile). Elles écoutent la détresse des patients, elles sont rodées à entendre leurs souffrances et réagissent de façon extrêmement humaine. Elles avaient pris la mesure de ce que vivaient ces patients alcooliques, du caractère tragique de leur histoire, et décidé qu'il fallait faire quelque chose. C'est grâce à elles que j'ai commencé mes consultations.

Il y avait cependant une autre considération, qui reste d'actualité. Quand il soigne, encore aujourd'hui, un patient alcoolique avec du baclofène, le médecin prescrit un médicament « hors AMM » (autorisation de mise sur le marché). Ce qui veut dire que donner du baclofène à un alcoolique revient à lui prescrire un médicament qui n'a pas été conçu, à l'origine, pour traiter sa maladie, et à des doses, en outre, généralement supérieures à celles qui sont utilisées pour d'autres indications. C'est ce que je continue de faire dans mon service, et c'est ce que font tous les autres médecins prescripteurs de baclofène. Pourquoi ? Parce que, dès le départ, dès que j'ai constaté le succès extraordinaire de l'utilisation du baclofène, j'ai pensé que refuser ce traitement à un alcoolique, c'était ne pas lui porter assistance alors qu'il était en danger. Cette notion s'applique au médecin qui ne prodigue pas les soins dont un malade a besoin, et il est impossible de ne pas en tenir compte : ne pas soigner quelqu'un alors qu'on peut le faire implique aussi que la personne concernée ou son entourage pourrait se retourner contre le médecin qui n'a pas prescrit le traitement, même si ce traitement n'est pas officiellement autorisé dans cette indication. J'ai annoncé à mes collègues de l'hôpital que j'allais prescrire du baclofène, et les pharmaciens de l'établissement m'ont, très rapidement, envoyé l'article d'une juriste, Odile Paoletti, qui m'a beaucoup frappé et conforté dans ma décision : « Si, sous prétexte qu'un médicament n'a pas reçu l'AMM, vous ne le prescrivez pas à votre patient alors qu'il aurait pu améliorer son état de santé ou le guérir, votre responsabilité pourrait également être recherchée. » Elle correspondait exactement à ce que je pensais, et j'étais d'ailleurs certain que tout le monde allait faire comme moi.

Mais ce n'est pas ainsi que les choses se sont passées. Et même, considérant qu'il n'y a pas eu, à ma connaissance, de plainte déposée contre les médecins qui ont omis ou refusé de prescrire du baclofène, ceux qui, pour différentes raisons, s'opposent au traitement – et que je regroupe sous le nom d'« adversaires du baclofène » – se sont montrés capables de présenter les choses de telle sorte que personne ne puisse même songer à porter plainte pour non-assistance à personne en danger…

Car, bien que le baclofène soit vendu en pharmacie et sur Internet, et qu'il ait, administré dans certaines conditions, guéri des milliers de malades de leur dépendance à l'alcool, nombre de médecins en France refusent de le prescrire ou hésitent à le faire. Des millions de malades sont privés de l'accès à ce traitement alors que le mal dont ils souffrent, l'alcoolisme, menace leur vie à plus ou moins brève échéance. L'affaire a pris l'allure d'une bataille.

Une bataille dont la légitimité est difficile à comprendre s'est déroulée dans les coulisses de la scène médicale et pharmaceutique. Une bataille qui n'aurait pas dû avoir lieu tant l'efficacité du baclofène est évidente et limpide. Tout médecin digne de ce nom devrait le prescrire, sans se poser de questions, comme une évidence devant une maladie mortelle pour laquelle il n'existe aucun traitement. L'enjeu est considérable : la vie d'un nombre colossal de malades.

En même temps, la bataille est en partie gagnée par le baclofène parce que l'on compte en France des milliers de médecins qui le prescrivent, et que le nombre de malades guéris et de médecins prescripteurs augmente d'une façon vertigineuse. Il n'y a pas de retour en arrière possible. Quelle que soit l'attitude de nos autorités sanitaires et quelle que soit l'influence de divers intérêts financiers ou corporatistes qui voudraient s'opposer à la prescription du baclofène, le mouvement est irréversible.

Comment est-il possible que des médecins aient laissé et laissent encore mourir, sous leurs yeux, des milliers de personnes alors qu'ils ont à portée de main un traitement dépourvu de dangerosité et parfaitement efficace ? Comment est-il possible qu'il faille surmonter autant d'obstacles pour admettre une chose aussi simple et sans équivoque ? Qui est responsable ?

Les trois questions que je formule ainsi sont au cœur de l'affaire du baclofène. Je les adresse à la communauté médicale, au pouvoir politique, aux autorités sanitaires, aux experts dont les avis conditionnent les décisions en matière de santé publique. Et je vais tenter d'y apporter ma propre réponse. À ces trois questions s'en ajoutent beaucoup d'autres, moins dramatiques, plus quotidiennes aussi ; il s'agit de toutes celles que les malades eux-mêmes, leur entourage, et, bien entendu, les médecins qui les soignent se posent au sujet d'un traitement révolutionnaire qui a changé le regard qu'il convient de porter sur les hommes et les femmes souffrant d'alcoolisme. J'espère, dans les pages qui suivent, répondre à leur attente et montrer pourquoi et comment la maladie de l'alcoolodépendance peut, avec le baclofène, être vaincue.

1.

L'épineuse question de l'autorisation de mise sur le marché

Un médicament peut-il être prescrit pour une autre indication que celle pour laquelle il a obtenu son autorisation?

Pour soigner l'alcoolisme, le baclofène est prescrit hors autorisation de mise sur le marché. Ce n'est pas interdit. C'est même parfaitement autorisé, c'est écrit dans la loi, tout médecin a le droit de prescrire un médicament de cette façon. Et, dans le cas du baclofène, la prescription est sans danger puisqu'il s'agit d'une molécule utilisée depuis quarante ans dont on connaît l'innocuité : il n'y a donc pas d'obstacle.

Les médecins prescrivent d'ailleurs énormément de médicaments hors recommandations pour toutes sortes d'indications, c'est bien connu ; ils en donnent même si souvent que parfois ils ne le savent même pas. Une étude que nous venons de faire dans le groupe hospitalier Paul-Guiraud (qui est un hôpital psychiatrique) montre que près de la moitié des prescriptions de médicaments psychiatriques sont hors AMM. Cela n'émeut personne.

Cette pratique est tellement un non-problème que, si nous n'avions pas fait cette étude, personne n'aurait parlé du pourcentage élevé de ce type de prescription. Beaucoup de médecins nous ont d'ailleurs avoué qu'ils ne s'étaient même pas rendu compte que leurs prescriptions étaient hors AMM (les médecins ne peuvent pas connaître par cœur les indications précises des quelque 4 000 médicaments commercialisés en France).

Les recommandations d'utilisation figurent dans un gros livre rouge, le *Dictionnaire Vidal*, où sont précisées celles de chaque médication. Ce sont les RCP : résumés des caractéristiques du produit. Elles sont de quatre ordres : l'indication (pour quelle(s) maladie(s) le médicament a obtenu l'AMM), la dose, la durée et le protocole de traitement (ou schéma thérapeutique). Il est important de comprendre comment le médecin doit suivre ou interpréter ces recommandations.

Prenons l'exemple du baclofène. D'abord l'indication. Le baclofène est indiqué dans des maladies spasmodiques neurologiques (autrement dit, des spasmes musculaires), dans des maladies d'origine neurologique comme la sclérose en plaques, le torticolis et toutes les séquelles spasmodiques des lésions de la moelle, ou des lésions cérébrales. Les malades qui présentent des lésions cérébrales neurologiques peuvent avoir des sortes de décharges musculaires qui produisent des mouvements anormaux, incontrôlables, pénibles à supporter. Le baclofène, par ses propriétés myorelaxantes, fait que ces spasmes disparaissent ou deviennent moins pénibles. Son utilisation dans l'alcoolisme n'est donc pas prévue, mais il n'est pas non plus interdit au médecin de le prescrire.

Deuxième recommandation : la dose de traitement. La dose maximale autorisée est spécifiée : on peut donner des doses inférieures, bien sûr, mais quand on donne des doses supérieures, on est hors recommandation. Or il arrive très fréquemment, pour toutes sortes de médicaments, que les doses recommandées soient relativement faibles et que l'on soit amené à les dépasser.

Troisième recommandation : la durée du traitement. Dans certains cas, aucune limite n'est donnée, mais le plus souvent il y en a une. Le Valium®, par exemple, est un médicament autorisé dans le sevrage de l'alcool, mais seulement quelques jours. Or les alcoologues prescrivent couramment du Valium à leurs patients pendant des mois, voire des années.

Quatrième recommandation : le protocole d'instauration du traitement. Pour la plupart des médicaments, ce protocole relève de la liberté de décision du médecin, mais il en est certains pour lesquels figurent dans les recommandations des précautions à prendre. Généralement, les médecins les suivent assez rigoureusement. Il faut commencer par de petites doses puis les augmenter progressivement. Pour ce qui est du baclofène, les recommandations de posologie sont assez souples : on laisse le soin aux médecins de l'adapter individuellement aux patients. Il existe donc un manque de consensus dans la façon de prescrire le baclofène.

Aucune interdiction de prescrire hors recommandation n'existe donc pour le baclofène...

Il n'y a pas interdiction : j'insiste sur ce point très important parce qu'il se trouve au cœur de la controverse qui divise la communauté médicale et empêche des milliers de malades d'avoir accès à un traitement dont ils ont désespérément besoin.

Les adversaires déclarés du baclofène agitent le chiffon rouge de la prescription hors AMM. Je reviendrai plus en détail sur les implications de cette prescription hors AMM du baclofène, notamment sur la position de l'autorité régulatrice en la matière. C'est cette dernière, l'Agence française de sécurité sanitaire des produits de santé (Afssaps) – dont le nom est devenu en 2012 Agence nationale de sécurité du médicament et des produits de santé (ANSM) –, qui gère en France les conditions de prescription des médicaments. Elle a effectivement joué un rôle de frein dans la diffusion du baclofène : pourquoi et comment sont des questions qui peuvent fournir à des journalistes d'investigation un sujet d'enquête passionnant...

Mais la prescription hors AMM, je l'ai déjà signalé, n'est pas contraire aux bonnes pratiques médicales. Comme l'indique un article publié dans la revue *Thérapie*[5] : « Dès l'instant qu'elle s'accompagne d'un certain nombre de garanties [...] elle ne constitue pas, comme on peut parfois l'entendre, une interdiction médico-légale. » La loi considère avant tout que « le médecin est libre de ses prescriptions qui seront celles qu'il juge les plus appropriées en la circonstance ». La prescription doit toutefois, comme dans le cadre de tout acte médical, se fonder sur « les données acquises de la science ». La jurisprudence semble en effet considérer la littérature scientifique internationale comme une source de validation potentiellement suffisante. En 2001, une décision du Conseil d'État stipulait qu'en l'absence de validation de l'efficacité et de l'innocuité d'un traitement en France, il convenait de se référer à l'opinion de la communauté scientifique internationale. Un médecin peut donc, de son propre chef, décider de prescrire un traitement dans une indication ou à des doses hors AMM, s'il estime qu'il existe dans la littérature médicale internationale des arguments scientifiques suffisamment solides pour justifier sa décision. Or « les données acquises de la science » (on les verra plus loin) démontrant une efficacité du baclofène dans le traitement de l'alcoolisme sont plus qu'abondantes, et elles autorisent donc largement sa prescription, sans états d'âme.

Il faut cependant signaler qu'un encadrement plus strict des prescriptions hors AMM a été apporté avec la loi du 29 décembre 2011 relative au renforcement de la sécurité sanitaire du médicament et des produits de santé. Selon cette loi, le prescripteur doit porter sur l'ordonnance la mention : « Prescription hors autorisation de mise sur le marché ». Il doit aussi informer le patient sur les conditions de prise en charge, par l'assurance maladie, de la spécialité pharmaceutique prescrite (autrement dit, le médecin doit expliquer au patient que le médicament ne sera pas remboursé). Et il doit motiver sa prescription dans le dossier médical du patient. Des sanctions sont prévues s'il ne suit pas ces obligations, avec des condamnations civiles et même pénales pour mise en danger de la vie d'autrui. Sans parler des sanctions disciplinaires pour non-respect des obligations envers le patient et envers les caisses d'assurance maladie.

Cette loi a déclenché un mouvement de colère et de refus chez les médecins libéraux. Parce que cette disposition a pour effet que le médicament n'est pas remboursé, sa première conséquence est qu'il devient impossible de prescrire un médicament hors AMM à des patients démunis ou précaires, à ceux qui ne peuvent pas le payer. Dans le cas des alcooliques, on sait qu'il s'agit très fréquemment de patients qui ont tout perdu et qui vivent dans la précarité : appliquer la loi, c'est donc leur interdire de bénéficier du baclofène. Les médecins libéraux que je connais refusent tous d'écrire « hors AMM » sur leurs ordonnances, se mettant ainsi hors la loi, ce qui est tout à leur honneur.

Comment expliquer que la loi ait ainsi été rédigée ? Deux interprétations sont possibles : soit le législateur est totalement coupé de la réalité (on ne peut quand même pas le soupçonner d'avoir délibérément voulu priver les plus pauvres de médicaments), soit il a pris sa décision à son insu, sous la pression de personnes prises dans des conflits d'intérêts, celles qui ont avantage à ce que certains médicaments, comme le baclofène, ne soient pas prescrits.

Il faut noter qu'en ce qui concerne le service public, les choses sont un peu différentes, parce que des dispositions font que la loi ne s'applique pas à l'intérieur de l'hôpital. Les médecins hospitaliers ne sont pas pour autant libres de prescrire hors AMM sans aucune contrainte parce que, si un incident survient, ils peuvent être poursuivis. Mais la très grande majorité d'entre eux prescrivent aussi en dehors de l'hôpital. En psychiatrie, l'essentiel de l'activité des médecins se fait dans des centres de consultation en ville (dans les centres médico-psychologiques, ou CMP), où les patients sont suivis en ambulatoire. Ces patients suivis dans les CMP sont en règle générale les plus précaires et démunis, parce que les consultations y sont gratuites et que ceux qui ont des moyens suffisants préfèrent être suivis par des médecins privés. La loi s'applique dans les CMP, aussi les médecins sont-ils obligés d'écrire « hors AMM » dans la marge des ordonnances quand ils prescrivent hors AMM. Que je sache, ils ne le font jamais.

Pourtant les prescriptions hors AMM sont extrêmement fréquentes en psychiatrie. J'ai dit précédemment que nous avions fait une étude des prescriptions hors AMM à l'hôpital Paul-Guiraud : il apparaît que 43,5 % des médicaments psychiatriques sont prescrits hors AMM. Étant donné que ce chiffre est peu différent de celui d'autres études faites ailleurs, on peut penser qu'il est représentatif de la pratique psychiatrique courante dans les hôpitaux publics. Autrement dit, près de la moitié des médicaments psychiatriques prescrits dans les hôpitaux publics sont prescrits hors AMM. Il est habituel, c'est même la règle, quand on a soigné un patient à l'hôpital, de lui donner un rendez-vous de consultation dans un CMP, et de continuer à le suivre au CMP. Il est habituel aussi, quand le patient sort de l'hôpital, de reconduire le traitement qui lui avait été donné à l'hôpital. C'est-à-dire de reconduire les 43,5 % de prescriptions hors AMM qui y avaient été faites. Un très grand pourcentage des médicaments prescrits dans les CMP est ainsi hors AMM : je le souligne encore une fois, je n'ai jamais vu un médecin écrire « hors AMM » dans la marge de ses ordonnances. Les médecins ne savent en général même pas que les médicaments qu'ils prescrivent sont hors AMM.

Dans l'étude que j'ai citée, les médicaments hors AMM les plus fréquemment prescrits sont : les antipsychotiques (prescrits dans une autre indication que pour le traitement d'une psychose, par exemple pour contrôler des troubles du comportement), les anxiolytiques et les somnifères (prescrits à des doses et pour des durées qui ne sont pas celles de l'AMM), les antidépresseurs (qui sont prescrits dans une kyrielle de troubles autres que la dépression majeure), et les antiépileptiques. A-t-on déjà vu un médecin de l'assurance maladie demander à un médecin prescripteur d'antipsychotique s'il le prescrit pour une psychose ou pour un trouble du comportement ? Jamais. A-t-on déjà vu, en revanche, un médecin de l'assurance maladie demander à un médecin prescripteur de baclofène pourquoi il prescrit du baclofène ? Très souvent. Et, quand ces demandes s'adressaient à moi, dans les réponses que j'ai faites, je n'ai pas toujours été très courtois.

Dans ce contexte, on peut répéter que la loi est sinon absurde, du moins totalement coupée de la réalité. La réalité, ce sont par exemple les cent cinquante médecins de l'hôpital Paul-Guiraud qui TOUS font des prescriptions hors AMM. La réalité, ce sont des dizaines ou des centaines d'hôpitaux où les médecins prescrivent exactement comme les médecins de l'hôpital Paul-Guiraud. La réalité, ce sont donc des milliers de médecins hors-la-loi. Va-t-on tous les poursuivre en justice ? Quand les lois sont à ce point éloignées des conditions réelles, on peut se poser des questions sur les compétences du législateur. Car qui sont les victimes ? Ce ne sont pas les médecins, la loi leur importe peu. Les victimes, ce sont les alcooliques, particulièrement les plus pauvres qui ne peuvent pas payer le baclofène.

Les doses auxquelles le baclofène doit être administré conditionnent la réussite du traitement. Parce qu'elles peuvent être élevées, elles sont devenues une des raisons pour lesquelles certains médecins hésitent à le prescrire…

Quand, en 1974, le baclofène a reçu son autorisation de mise sur le marché en France pour le traitement des spasmes musculaires, on a en effet considéré que la dose de sept comprimés et demi par jour en ambulatoire, c'est-à-dire chez les patients qui ne sont pas hospitalisés, ou douze comprimés par jour en hospitalisation était suffisante pour le traitement des spasmes. Mais, depuis cette époque (on le sait, cela a été publié), les neurologues ont prescrit des doses de baclofène bien supérieures aux recommandations. En 1991, par exemple, une série de dossiers ont été analysés : la publication des résultats montre que les médecins étaient montés jusqu'à des doses proches de 300 milligrammes par jour (trente comprimés) chez un certain nombre de malades, souvent sur de longues périodes de temps, sans toxicité particulière[6]. Ce précédent témoigne qu'on peut utiliser le baclofène à haute dose sur d'assez longues périodes de temps sans que cela soit dangereux. Une forme intrathécale d'administration du baclofène a même été commercialisée – intrathécal désigne l'injection du produit directement dans le système nerveux central (par le biais d'une ponction lombaire). Si le baclofène était dangereux, on n'aurait jamais développé une telle voie d'administration…

C'est d'ailleurs fort de cette publication de 1991 qu'Ameisen s'était autorisé à monter à vingt-sept comprimés par jour ! Cela n'avait rien d'exceptionnel, puisque les Américains le faisaient depuis trente ans en neurologie. Si une dose est bien tolérée pour les spasmes musculaires, il n'y a aucune raison qu'il en soit autrement pour la maladie alcoolique.

On a entendu dire, ici et là, que le baclofène prescrit à tort et à travers pourrait être aussi dangereux que le Mediator…

S'agissant du baclofène, on ne peut bien sûr s'empêcher de penser au Mediator®, prescrit par des médecins dans une indication qui n'était pas prévue, et qui a provoqué la mort de quelque trois mille personnes, et le rapprochement a d'ailleurs été sciemment fait. Mais il n'y a rien de commun entre le baclofène et le Mediator®. Le scandale du Mediator® vient du fait qu'il s'agissait d'un produit toxique, et que les organismes de surveillance sanitaire ont beaucoup trop tardé à s'alarmer de cette toxicité. Il n'y a pas de risque de cet ordre avec le baclofène. Depuis des décennies, on le prescrit à un nombre incalculable de malades à travers le monde, le plus souvent pendant des années, et jamais aucun effet toxique n'a été constaté. Le médicament a des effets indésirables gênants – j'y reviendrai –, mais il ne s'agit pas d'effets toxiques.

On pourrait même considérer – certains n'hésitent pas à le faire – qu'avec le baclofène on assiste à une affaire Mediator® à l'envers : il y a eu des morts à cause du Mediator®, alors qu'on laisse mourir des gens en ne prescrivant pas le baclofène de façon adéquate. Il est donc détestable qu'on ait pu utiliser l'actualité du Mediator® pour essayer de discréditer le baclofène en entretenant une confusion entre les deux, comme certains l'ont fait : cela n'a rien à voir.

Plus récemment, certains ont voulu entretenir la même confusion entre le baclofène et la pilule Diane 35 (qui a été retirée du marché du fait de sa toxicité). On doit souligner ici la pertinence de l'intervention du professeur François Chast, dont l'opinion fait autorité dans le domaine de la pharmacologie, qui a demandé que l'on soit attentifs à différencier les mauvaises prescriptions hors AMM (comme la pilule Diane 35 ou le Mediator®) des bonnes prescriptions hors AMM (parmi lesquelles il a cité le baclofène). Le professeur Philippe Even a tenu des propos similaires, favorables au baclofène.

L'expérimentation d'un nouveau traitement n'est jamais sans comporter des risques...

Justement, il ne s'agit pas d'expérimentation. Une expérimentation implique un nouveau médicament, un protocole précis, des règles scientifiques, des groupes contrôles, avec un objectif de publication – même si j'ai publié les résultats de mes observations, il ne s'agissait pas de ceux d'une expérimentation, mais d'une simple étude observationnelle de la prescription d'un médicament hors AMM.

Et ce qu'il faut garder à l'esprit, c'est que la raison de cette prescription est que des patients souffrent terriblement d'une maladie pour laquelle il n'existe pas de traitement efficace. Si un médicament ou une technique existent, susceptibles de soigner une maladie, si on en est informé, on n'a pas le droit de les ignorer et de ne pas les employer quand on a un malade devant soi. Dans le cas par exemple de ceux que j'ai traités, il s'agissait de patients très malades.

On emploie souvent en médecine les termes « compassion » et « compassionnel » dans les situations difficiles. On éprouve de la compassion devant un malade qui a essayé en vain tous les traitements disponibles ; on parle de traitements compassionnels quand on utilise des traitements inhabituels pour des malades qui se trouvent dans cette situation, quand tous les moyens habituels ont échoué. La compassion doit être présente dans la pratique médicale. Ce n'est ni un sentiment ni une émotion, ou plus exactement, ce n'est pas seulement cela. C'est une fonction, exactement comme l'empathie, c'est-à-dire la capacité à partager quelque chose avec quelqu'un d'autre. Quand on est médecin, on est normalement en situation d'activer ces sentiments d'empathie ou de compassion beaucoup plus que dans d'autres professions puisqu'on est en permanence confronté à la souffrance d'autrui. Et même sans prendre celle-ci en charge de façon personnelle, on a l'obligation morale de la partager, même si c'est avec la distance qui est propre à l'exercice de la médecine.

La compassion n'est pas du tout dissociable de l'attitude scientifique, elle est un moteur pour l'exercice de la médecine, un moteur qui fait que l'on a envie d'exercer son art et sa science de médecin. Lors de la mise en place d'un traitement compassionnel, on prévient le patient de ses tenants et aboutissants potentiels, on lui explique que c'est parce que des cures de désintoxication et d'autres traitements ont échoué qu'on va l'essayer.

En même temps, la plus grande prudence est légitime. Moi-même, j'étais réticent au début, mais il ne s'agissait que de vérifier si l'effet thérapeutique bénéfique du médicament, tel qu'il était décrit par Ameisen, allait se confirmer. J'ai d'abord été seul à le tenter : je n'ai pas demandé à mes collègues de me suivre, mais à l'époque ils m'ont aidé en me soulageant de certaines activités que je prenais en charge habituellement. J'ai donc été un peu plus tranquille de ce côté-là et, à partir de novembre 2008, avec toute l'équipe soignante et les secrétaires, nous avons décidé qu'il y aurait une consultation baclofène par semaine. Nous avons fixé un jour où je ne recevrais que des patients gravement dépendants de l'alcool. Nous

nous sommes donné un mois ou deux pour voir. Nous nous sommes dit que si les échecs étaient trop nombreux au terme de cette période nous arrêterions. Mais que nous allions essayer. C'est d'ailleurs toujours ce que je répète, depuis, aux médecins avec qui je parle du traitement : « Essayez ! Si ça ne marche pas, tant pis. Mais essayez. » C'est exactement ce que nous avons fait. Pendant quelques semaines j'ai donné du baclofène à des patients avec prudence, en tâtonnant, en commençant avec des doses très faibles. Et il s'est passé cette chose que je n'attendais pas, en tout cas pas à ce point : ça a marché, d'une façon inouïe. J'ai eu l'impression que les patients guérissaient les uns après les autres. J'éprouvais une certaine euphorie, avec le sentiment d'être en train de vivre quelque chose d'extraordinaire. En même temps, je dois dire que tous les malades ne guérissaient pas : environ la moitié réagissaient très bien au baclofène, arrêtaient rapidement de boire, mais pour d'autres c'était beaucoup plus difficile. Au bout d'un certain temps, les malades qui ne réagissaient pas de façon optimale m'intéressaient peut-être plus encore que ceux qui guérissaient.

Plusieurs de mes collègues médecins qui étaient réticents au début ont changé d'avis depuis et prescrivent actuellement du baclofène.

2.

Quand l'alcoolisme cesse d'être
une maladie incurable

Comparés à ceux des autres traitements, les résultats obtenus avec le baclofène sont impressionnants...

Le nombre d'alcooliques guéris rapporté au nombre de personnes soignées par différents moyens (hors baclofène) reste mal connu, mais on s'accorde généralement à reconnaître qu'il est très insuffisant. En revanche, avec le baclofène, les guérisons se sont multipliées, atteignant des chiffres jamais vus. Au point que ces guérisons sont presque désormais devenues une routine. Bien entendu, je parle pour moi, pas pour celle ou celui qui guérit et chez qui la fin de la dépendance marque un tournant capital de son existence.

Plus de la moitié des patients sont guéris par le baclofène et ces guérisons sont d'une simplicité si désarmante, si merveilleuse, qu'elles apparaissent comme une évidence. Et quand je dis plus de la moitié, je suis certainement très en deçà de la vérité. Pour avancer le pourcentage de 50 %, je me fonde sur la première, ou les deux premières années, où j'ai prescrit du baclofène*. Durant cette période, je n'ai prescrit du baclofène qu'aux patient résistant aux traitements habituels, ceux qui avaient tout essayé pour guérir et n'avaient jamais réussi (médicaments, cures, psychothérapies, groupes de parole, Alcooliques anonymes, etc.). Les patients les plus difficiles à soigner donc, qui, en général, souffraient d'un attachement considérable à l'alcool. Aujourd'hui je soigne tous les patients qui me le demandent, et mes résultats sont bien meilleurs. J'ai progressivement appris à conduire chaque traitement comme il se doit, ce qui est souvent difficile du fait des effets indésirables. J'obtiens aujourd'hui beaucoup plus de 50 % de succès. Avec un traitement bien conduit, sans que soit fixée a priori une dose à ne pas dépasser, mais en suivant attentivement les réactions du patient, on peut espérer atteindre 80 % de réussite, et même dépasser ce pourcentage. Ce qui signifie que 80 % des patients pourraient parvenir au stade d'indifférence à l'alcool. J'estime qu'il n'existe aucune limite supérieure aux doses administrées aussi longtemps que le traitement est bien supporté. Et cela quels que soient les patients, leur âge, leur milieu social, leur statut professionnel ou leur environnement. Je n'ai jamais vu un patient ne pas arrêter de boire ou diminuer considérablement sa consommation d'alcool dès lors que j'ai pu augmenter suffisamment les doses, à condition évidemment que cette personne ait réellement décidé d'arrêter de boire.

---

* Voir Annexe 1, « Premier bilan », p. 167.

Dans l'ensemble, le traitement a donc eu un effet sidérant. La plupart des patients arrivent sans illusions, tristes, le profil bas, doutant d'eux-mêmes ; depuis des années ils ne vivent que les échecs et la déchéance. Pas d'histoire hors du commun, simplement des personnes ruinées par l'alcool. Je les vois renaître à la vie. Une chose étonnante, c'est à quel point les effets du baclofène sont imprévisibles. Il n'y a pas un type de personne qui réagit mieux qu'un autre au traitement. Chaque patient est différent.

Il y a aussi des échecs, ou des demi-échecs. C'est-à-dire des malades qui manifestement ressentent les effets réducteurs ou suppresseurs du baclofène sur le craving, mais qui ne peuvent pas se résoudre à arrêter de boire. Des personnes qui éprouvent un attachement dramatique et pathologique à l'alcool, pour lesquelles s'alcooliser représente une part de leur identité, et qui ont le sentiment qu'elles n'existeraient plus si elles cessaient de boire.

Le nombre d'alcooliques qui ont un besoin urgent d'être soignés ne cesse de croître...

J'ai cité le chiffre de 6 millions de buveurs excessifs en France. Mais, buveurs excessifs ou pas, la première réalité c'est que l'alcool est une substance toxique. Plus la maladie est grave, plus la santé des malades est en danger, et plus il est urgent de les soigner. Mais il y a de grandes différences interindividuelles de sensibilité à l'alcool, et de nombreux facteurs interviennent.

Par exemple, il existe toute une culture autour de la boisson : la capacité d'absorber et de supporter de grandes quantités, de « tenir l'alcool », bénéficie souvent de beaucoup de considération. Autrefois, dans nos campagnes, le gros buveur était valorisé, on disait de lui : « Il boit bien ! » avec admiration. Souvent, boire beaucoup allait de pair avec travailler beaucoup. Le « vrai » travailleur était fort physiquement, abattait un travail considérable, buvait sans modération, soufflait et transpirait également abondamment. L'alcool est en partie excrété par la respiration et la transpiration, mais il n'en est pas moins toxique. Aussi les cancers et les cirrhoses n'épargnaient guère ces gros travailleurs.

L'excès de boisson est souvent associé à l'ivresse et à la défonce, à l'idée de « faire la fête ». Mais ceux qui viennent me voir ne font en général plus la fête depuis longtemps. Chez la plupart, l'alcool est devenu une souffrance, il n'est plus un plaisir. Pas chez tous, cependant : j'ai eu quelques cas de patients, traités et guéris, qui m'ont avoué que la vie sans alcool était devenue austère, qu'elle leur paraissait triste. C'est du moins ce qu'ils m'ont dit pendant un temps ; ils ont ensuite, progressivement, trouvé des plaisirs plus sains et plus authentiques. Il s'agissait souvent de femmes. Elles ne cherchaient pas à cacher leur dépendance. Et si elles étaient venues me voir, c'était bien pour s'en défaire.

À ce propos, quand on regarde les statistiques sur l'alcoolisme, les hommes sont plus fréquemment buveurs que les femmes, mais, dans la série des quelques centaines de patients que j'ai soignés, il y a presque autant de femmes que d'hommes. C'est dans la façon qu'a chaque malade de vivre sa dépendance qu'on trouve peut-être des différences : on dit souvent que l'alcoolisme est plus honteux chez les femmes que chez les hommes, qu'elles auraient tendance à boire sans le dire, en se cachant, et à minimiser la quantité d'alcool ingérée alors que pour les hommes ce serait plutôt le contraire. Ils aiment se vanter, ont une espèce de fierté à boire beaucoup. Ils ont même tendance à amplifier un peu leurs performances en la matière. Mais pour le traitement par le baclofène, la différence des sexes ne joue pas, le baclofène a un effet similaire chez les hommes et les femmes.

Il y a aussi le cas des jeunes qui boivent de façon excessive pour « s'éclater ». C'est à la mode. Ce sont des comportements pathologiques qui ont une signification sociale, cette pratique du *binge drinking*. J'ai eu parmi mes patients quelques-uns de ces jeunes, souvent amenés ou poussés par leurs parents. En majorité, chez eux, le traitement par le baclofène a été un échec. Parce qu'ils n'ont pas de réelle envie d'arrêter.

Dans un tout autre registre, il faut citer les publicités mensongères autour des vertus de l'alcool, du vin en particulier ; les études prétendument scientifiques qui montrent que boire du vin est bon pour la santé parce qu'il contient des molécules qui ont des propriétés protectrices ou bienfaisantes, par exemple le resvératrol ou le stilbène. Ce sont des arguments trompeurs ; il est bien vrai que le vin (qui comprend des milliers de composants) contient des substances qui ont des effets bénéfiques pour l'organisme, mais les quantités de ces substances sont infimes, pratiquement nulles comparées à la quantité d'alcool pur présente dans le vin ; on trouve quelques milligrammes (moins de 1 milligramme par verre) de resvératrol d'un côté, et de l'autre des dizaines ou des centaines de grammes (10 grammes par verre de vin) d'une substance, l'alcool, qui est, elle, extrêmement nocive ; il n'y a pas d'hésitation possible : tous les alcools sont d'abord toxiques.

Comment définir la maladie alcoolique ?

La définition classique de l'alcoolisme, qui est très large, désigne comme alcoolique une personne consommatrice d'une quantité d'alcool qui produit des effets nocifs sur sa santé. On parle alors d'utilisation nocive d'une substance et de l'action toxique que celle-ci a sur le corps. Étant donné que l'alcool est intrinsèquement pathogène quelle que soit la dose, c'est une définition assez floue, qui laisse beaucoup de marge.

Il en existe d'autres et l'une d'entre elles décrit l'alcoolisme comme une compulsion à boire. C'est celle que je trouve la plus pertinente même si elle correspond davantage à une définition de la dépendance à l'alcool qu'à celle de l'alcoolisme en général. Le mot important ici n'est pas boire, mais compulsion. Le malade est dans un état mental tel qu'il ne peut pas s'empêcher d'agir d'une certaine façon. Le meilleur exemple de compulsion est ce qu'on appelle les troubles obsessionnels compulsifs (TOC), une maladie très connue (on a beaucoup parlé d'elle dans les médias) qui contraint par exemple une personne à se laver les mains des centaines de fois par jour, à essuyer indéfiniment le bord d'une table ou un coin de porte, à se passer les mains dans les cheveux, à ranger ses chaussures, à vérifier que le robinet est bien fermé, etc. Ce sont des actions compulsives. La personne malade sait parfaitement que sa conduite est irrationnelle, que tout le monde se moque d'elle, elle sait que ça lui gâche l'existence, mais elle ne peut pas agir autrement. La maladie obsessionnelle compulsive est très bien répertoriée, il y a des traitements pour cela. Ce que l'on sait moins c'est que la maladie alcoolique est du même ordre, c'est une maladie de compulsion. Mais la compulsion à boire n'est pas un TOC, elle est d'une tout autre nature, et elle ne se soigne pas du tout comme un TOC.

Il y a des définitions de l'alcoolisme qui ne prennent pas en compte cette notion essentielle, cette compulsion à boire. Or il est clair que celle-ci joue un rôle déterminant dans le fait que le malade alcoolique est quelqu'un qui ne peut pas ne pas boire. En général, il se rend compte que boire comme il le fait est épouvantable, qu'il se détruit, mais c'est plus fort que lui, il boit.

La compulsion est assez bien définie sur le plan neurobiologique. Un comportement compulsif correspond à une organisation cérébrale qui implique des structures comme le cortex et certains noyaux sous-corticaux, que l'on voit très bien en imagerie cérébrale fonctionner de façon pathologique chez les personnes qui présentent des troubles dus à leur addiction. On sait que chez les personnes dépendantes au jeu ou aux drogues par exemple, les mêmes structures sont impliquées, et qu'il s'agit de circuits qui fonctionnent d'une façon qui prime sur tout le reste. Nous avons tous des envies, des petites compulsions à manger du chocolat par exemple. Les circuits se mettent en route chez les personnes normales comme chez les malades, mais ils le font de façon transitoire chez les premières, et de façon permanente chez des personnes dépendantes.

Ce circuit de la compulsion irrésistible, on sait aussi qu'il n'est pas naturel, qu'il s'acquiert. La personne alcoolique commence par boire de temps en temps parce que c'est agréable, ou pour s'amuser. On aime bien faire ça avec les copains et puis, un jour, on s'aperçoit qu'on ne peut plus s'en passer. Cela signifie qu'à l'intérieur du cerveau se sont mises en place des connexions qui n'existaient pas auparavant et qui se sont développées sous l'effet de la répétition. Cette répétition dans l'utilisation de certaines substances sélectionne à l'intérieur du cerveau des circuits qui, petit à petit, vont devenir prioritaires et fonctionner pour leur propre compte. Les personnes devenues dépendantes ne pourront plus leur échapper, elles en sont devenues esclaves. Ces malades vont être soumis à la compulsion de faire des choses qu'ils n'ont pas envie de faire, mais qu'ils vont faire quand même. L'alcoolisme, c'est ça.

Or le baclofène a la propriété de rompre le circuit de compulsion. Et ce qui est particulièrement intéressant, c'est qu'il bloque sélectivement la compulsion à boire (et peut-être aussi la compulsion à prendre de la cocaïne, on n'en est pas encore certain). Mais cet effet bloquant de la compulsion est beaucoup moins bien établi pour d'autres substances que l'alcool. Mon expérience, par exemple, est que le baclofène est inefficace dans la compulsion à fumer du tabac et dans la dépendance au cannabis. Ce qui pourrait impliquer qu'il existe différents circuits de la compulsion à consommer des substances, des circuits propres à chacune d'entre elles. Je signale cependant que, contrairement à moi, certains de mes collègues m'ont dit avoir obtenu de bons résultats en utilisant le baclofène dans le traitement de la dépendance au tabac et au cannabis. J'ai aussi obtenu un effet favorable avec le baclofène dans le traitement d'une patiente boulimique, et d'autres prescripteurs m'ont dit avoir obtenu un effet similaire (nous préparons actuellement une publication sur ces cas). Enfin, mon collègue Éric Boissicat, de Blois, m'a dit avoir guéri un patient qui présentait une dépendance au jeu de grattage. On le voit, on est loin d'avoir fait le tour des utilisations du baclofène dans les dépendances.

La quantité d'alcool absorbée chaque jour compte moins que la présence de cette dépendance, et son intensité...

Les deux vont ensemble. Quand on est dépendant vis-à-vis d'une substance, on en consomme de plus grandes quantités qu'une personne qui n'est pas dépendante. Mais il y a beaucoup de différences individuelles. Tous les malades dépendants ne le sont pas de la même façon, quantitativement et qualitativement. Tous ont une histoire qui leur est propre. Tous se sont mis à boire pour des raisons différentes. Tous varient quant à leur tolérance à l'alcool puisque certains supportent d'absorber de grandes quantités et d'autres non. Tous les alcooliques se distinguent les uns des autres. Ce qu'ils ont en commun, c'est la compulsion à boire.

Le seuil est franchi avec la répétition de la consommation, qui conduit à la dépendance. On peut boire de façon excessive de temps en temps sans être alcoolique. Inversement, on peut être alcoolique en ne buvant qu'un jour par semaine. Il y a des gens qui sont authentiquement alcooliques et qui ne boivent que le week-end. Dès que la fin de semaine approche, la compulsion revient : l'idée de l'alcool devient prédominante, ces malades ne peuvent plus penser à autre chose, comme s'ils vivaient toute la semaine dans l'attente du jour où ils pourront boire jusqu'à rouler sous la table ; c'est leur façon d'être alcoolique, ce besoin de répéter l'expérience ritualisée.

La dépendance alcoolique affecte l'ensemble de l'organisme...

Quand un médecin voit un malade alcoolique, il commence par rechercher une atteinte du foie, du cerveau, et de tout ce sur quoi l'alcool a le plus d'effets toxiques. Les structures organiques les plus fragiles sont les neurones et leur destruction provoque des troubles de la mémoire. Une des premières choses que l'on vérifie chez un alcoolique est s'il souffre de ces troubles et, la plupart du temps, c'est le cas. Le malade peut aussi présenter des troubles de la marche parce que l'alcool a créé des lésions des nerfs périphériques. On recherche aussi systématiquement des lésions du foie. Et du pancréas. On peut donc appréhender l'alcoolisme comme une toxicité de l'alcool sur la plupart des organes.

L'alcoolisme est une maladie grave, mortelle, la nocivité de l'alcool s'exerçant sur la plupart des cellules de l'organisme. Cette toxicité met plus particulièrement en jeu le pronostic vital par les atteintes du foie (cirrhose) et du pancréas (pancréatite). Elle contribue également à la survenue de cancers (première cause de mortalité chez les alcooliques), de troubles cardio-vasculaires, métaboliques, neurologiques et psychiatriques ; elle favorise la violence et les conduites à risque ; elle a d'autres conséquences encore, provoque des comorbidités (maladies infectieuses, carences vitaminiques, tabagisme, polytoxicomanie, obésité, etc.). Sans parler des six mille bébés qui naissent chaque année en France avec des malformations liées à l'alcoolisme de leur mère.

Pour résumer, on peut dire que chez la personne qui boit sans pouvoir s'arrêter parce qu'elle est devenue dépendante, les conséquences sont terribles avec la survenue de maladies cérébrales comme les détériorations cognitives qui vont jusqu'aux démences. Par ailleurs, dans les services de gastro-entérologie où on soigne les problèmes digestifs, on retrouve beaucoup de patients alcooliques avec des pathologies du foie et du pancréas, de type cancer et cirrhose (c'est pour cela que les gastro-entérologues sont souvent très intéressés par le baclofène). Les alcooliques sont aussi très souvent fumeurs. L'alcool et le tabac sont toxiques pour la paroi interne des vaisseaux, ce qui peut provoquer la mort par accident cardio-vasculaire. L'alcool est donc dangereux pour pratiquement toutes les cellules et a des conséquences pathologiques – directes ou indirectes – extrêmement sévères.

Y a-t-il des prédispositions à l'alcoolisme ?

C'est un immense sujet et une question très intéressante. Il n'y a pas deux personnes alcooliques identiques, et les intrications des causes de l'alcoolisme sont extrêmement complexes. En règle générale, plus quelqu'un boit de grandes quantités d'alcool, plus il est malade, même si de nombreux facteurs, connus ou moins connus, peuvent nuancer cette affirmation.

On s'est beaucoup interrogé sur ce qui détermine l'alcoolisme chez quelqu'un. Outre les facteurs culturels que l'on a vus plus haut, on peut schématiquement proposer trois ordres de réponses, mais elles sont intriquées : les gènes, l'histoire personnelle, et les troubles psychologiques concomitants. Accessoirement, l'utilisation d'autres drogues est souvent associée à la prise d'alcool.

Le rôle des gènes, d'abord. Il y a certainement des gènes qui prédisposent à la consommation d'alcool (et de drogues en général), des gènes qui fragilisent certaines personnes plus que d'autres. On en connaît quelques-uns, par exemple ceux qui interfèrent avec le métabolisme, c'est-à-dire la destruction, de l'alcool. Certaines personnes vont rapidement éliminer celui-ci, d'autres non. Tout le monde n'a pas le même équipement génétique pour résister aux effets toxiques, et les variations des conditions de l'installation de la dépendance en sont l'illustration.

Mais il faut savoir que les gènes n'agissent jamais seuls, et que d'une façon générale leur action ne prend de véritable sens que dans leur interaction avec l'environnement.

Dans une grande mesure, l'histoire personnelle détermine la relation de chacun à l'alcool. Identifications à des comportements familiaux, contacts précoces avec l'alcool culturellement valorisés (quelques cuillers de calvados dans le biberon), comportements de groupe à l'adolescence, toutes sortes de facteurs interviennent dans cette relation. Les expériences traumatiques précoces favorisent aussi les comportements addictifs qui se manifestent plus tard dans l'existence, en particulier l'alcoolisme. Cela concerne les hommes et les femmes, ces dernières, semble-t-il, avec une plus grande fréquence. Par exemple, elles souffrent plus souvent que les hommes d'états de stress post-traumatique secondaires à divers types de maltraitance dans l'enfance (en majorité des maltraitances sexuelles), et l'alcoolisme est deux fois plus fréquent chez les femmes qui souffrent d'état de stress post-traumatique que chez celles qui n'en souffrent pas (27,9 % contre 13,5 %[7]). L'alcoolisme féminin est d'ailleurs beaucoup plus fréquent chez les femmes qui ont subi des maltraitances dans l'enfance, indépendamment de l'existence d'un état de stress post-traumatique. Ces maltraitances sont source de nombreux troubles psychiatriques à l'âge adulte, parmi lesquels, outre les états de stress post-traumatique, figurent des dépressions, des troubles de la personnalité (de type borderline, par exemple) et des psychoses. L'alcoolisme est fréquent dans toutes ces pathologies.

Y a-t-il un lien entre les pathologies psychiatriques et l'alcoolisme ?

Il peut y en avoir un. Mais la question de ce lien est complexe. Toutes les pathologies psychiatriques sont associées à un fort taux d'alcoolisme (tout comme elles sont associées à une surconsommation de tabac et d'autres drogues). Dans une étude, nous avons montré que 35 % des schizophrènes, 44 % des bipolaires et 41 % des personnes présentant un trouble de la personnalité consomment chroniquement de l'alcool[8]. La question est de savoir pour quelles raisons. Plusieurs sont envisagées : des supports biologiques communs aux maladies psychiatriques et aux addictions, des gènes particuliers communs aux deux, des déterminants socio-environnementaux communs (pauvreté, précarité, isolement social, non-accès aux soins). Une autre hypothèse, particulièrement digne d'intérêt, est celle de l'automédication. Dans cette explication, l'alcool est vu comme le moyen que beaucoup utilisent pour soigner des troubles psychologiques majeurs. Ces derniers sont source de beaucoup de souffrance. Être schizophrène, par exemple, est une façon épouvantable d'être au monde. Ces malades sont généralement stigmatisés et victimisés depuis l'enfance et le recours aux drogues leur permet d'échapper au regard des autres, de se sentir bien, de partir ailleurs, artificiellement. L'hypothèse de l'automédication s'applique également aux troubles psychologiques mineurs, une tension psychologique transitoire ou une situation de stress par exemple.

Un buveur « ordinaire » qui soigne par l'alcool son mal-être ou son anxiété peut-il devenir dépendant ?

Oui. Il s'agit pour lui d'automédiquer des moments d'angoisse, des phobies sociales, afin de se sentir moins inhibé au travail ou en société. L'alcool a des effets désinhibiteurs bien connus. Olivier Ameisen lui-même rapporte dans son livre qu'il a commencé à boire pour soigner son anxiété et sa timidité. Des études scientifiques montrent que les alcooliques augmentent leur consommation quand ils sont stressés[9]. L'anxiété de ceux qui redoutent de paraître en public, l'anxiété sociale en général est un facteur majeur d'alcoolisme. Environ un tiers des alcooliques souffriraient de ce type d'anxiété. Une étude américaine a montré que près de la moitié (48 %) des anxieux ont recours à l'alcool pour affronter les autres, et qu'ils souffrent à un moment ou à un autre de leur vie d'une pathologie alcoolique[10]. L'hypothèse de l'automédication propose aussi que les substances sont utilisées pour traiter des états dépressifs. Autrement dit, l'alcool pourrait avoir des effets antidépresseurs chez certaines personnes, mais la documentation scientifique sur ce sujet n'est pas très abondante. D'autres études ont montré que l'alcool peut être utilisé pour automédiquer une douleur physique. Également, que la consommation d'alcool peut augmenter après le traitement d'une autre addiction, par une sorte de mécanisme compensatoire. Une étude récente a montré que le recours à l'alcool augmentait chez les personnes qui avaient subi une chirurgie bariatrique (section de l'estomac et/ou intervention sur une partie de l'intestin chez les personnes obèses)[11].

Les raisons déterminantes de la prise d'alcool sont donc très nombreuses et parfois surprenantes. Celles que les patients évoquent le plus souvent en pratique clinique courante sont les effets anxiolytiques, antistress et antidépresseurs de la boisson. Sans oublier que beaucoup de buveurs disent, simplement, qu'ils aiment boire…

Les médecins ont plutôt tendance à envoyer ces malades chez le voisin. Dans l'exercice de mon métier de psychiatre, je me suis trouvé devant des cas dont je ne savais que faire, des malades qui allaient d'échec en échec. Je n'étais pas seul à connaître cela, loin de là.

Si l'on en croit ce que disent les médecins, la maladie alcoolique a été considérée jusqu'à présent comme l'une des plus difficiles à soigner, pour ne pas dire incurable...

Ceux qui voient les alcooliques en premier sont les médecins généralistes, ensuite ce sont les psychiatres et souvent aussi les gastro-entérologues qui reçoivent ces patients pour des complications telles que des cirrhoses. Il y a une discipline médicale bien connue qui s'appelle l'alcoologie : les médecins, généralistes ou spécialistes qui sont confrontés à la situation que je viens de décrire, se montrent très soulagés que les alcoologues existent et qu'ils soient prêts à se substituer à eux. Cela leur permet de se défausser puisqu'ils peuvent dire aux malades : « Je suis incapable de vous soigner, mais je vais vous envoyer chez un spécialiste. » J'ajouterai cependant qu'il y a sans doute des généralistes qui, en utilisant leurs propres techniques, s'estiment capables de soigner les alcooliques, mais ils sont une minorité. La plupart des généralistes ou des gastro-entérologues n'en ont pas les moyens.

Ce qui rend la dépendance à l'alcool si difficile à soigner est le fait que la dépendance présente ces deux aspects : physique et psychique. Le premier se manifeste de façon très spectaculaire par les symptômes dus à l'arrêt de la consommation d'alcool chez le malade qui cesse de boire brutalement. Surviennent alors toutes sortes de symptômes de souffrance, de manque, avec des tremblements, des sueurs, etc., que l'on peut prévenir. L'autre aspect, qui est psychique, est beaucoup plus difficile à traiter. Quand, résultat d'un certain nombre de traitements, on arrête de boire, les symptômes de dépendance physique disparaissent au bout de quelques jours, alors que la dépendance psychologique dure beaucoup plus longtemps, des mois, plus souvent des années.

La dépendance psychique est la conséquence de l'empreinte que l'attachement à l'alcool laisse dans la mémoire. Elle peut être consciente, et s'exprime par des envies de boire ; mais elle peut aussi se cacher dans l'inconscient pendant de longues périodes de temps, et revenir un jour, brusquement, à la conscience. Ainsi, une personne qui a cessé de boire pendant plusieurs mois ou années pourra se croire guérie, estimer qu'elle peut désormais sans danger consommer de l'alcool. Et la reprise de quelques verres entraînera la rechute parce que la dépendance psychique n'aura pas disparu. C'est exactement la même chose pour la cigarette : des fumeurs qui s'estiment « guéris » de leur dépendance tabagique depuis très longtemps paraissent sortis d'affaire, mais il suffit d'un seul contact avec le tabac pour que la dépendance se remette en place de façon massive. Comme pour l'alcool ou la cocaïne, la dépendance psychologique est toujours là, tapie dans un coin du cerveau, prête à ressurgir.

Quand le traitement par le baclofène réussit, la dépendance physique disparaît, généralement sans que les symptômes du sevrage apparaissent. Pour savoir ce qu'il advient de la dépendance psychique, il faut attendre que le temps passe. Un certain nombre de personnes que j'ai soignées ne boivent plus depuis plusieurs années. Elles ont arrêté le baclofène et estiment être libérées de leur dépendance psychologique ou psychique. Elles peuvent boire un verre de temps en temps sans retomber dans l'alcoolisme. Il s'agit d'un phénomène absolument nouveau, et assez étonnant. Je crois qu'on peut dire de ces patients qu'ils sont guéris. Mais je précise qu'ils sont une petite minorité. Les autres continuent de prendre du baclofène, car ils ne sont pas débarrassés de la dépendance psychologique et ils le savent. Quand ils diminuent ou arrêtent le traitement, l'envie de boire revient, souvent immédiatement.

Avec le baclofène, on peut parler d'un avant et d'un après dans la manière de soigner la maladie...

Les traitements habituels de la dépendance alcoolique exigent l'abstinence du patient, mais pas le baclofène. C'est, en soi, une révolution thérapeutique.

La particularité du baclofène est qu'il produit une indifférence à l'alcool et que celle-ci survient sans effort. Le fait que l'envie de boire disparaisse de cette façon est ce que le baclofène apporte de plus neuf. Avec le traitement, l'envie de boire n'est tout simplement plus là. Cette caractéristique contredit le dogme classique de l'abstinence qui a régné jusqu'à présent dans le traitement de l'alcoolisme. On ne peut plus voir les malades comme avant, en tout cas sur le plan de la prise en charge du traitement.

Traditionnellement, on considère l'alcoolisme comme une maladie de la volonté. On demande aux alcooliques de renoncer d'eux-mêmes à la boisson, presque toujours avec l'aide non seulement de médicaments, mais avec celle de diverses techniques psychologiques (groupes de parole, entraide, psychothérapies de différents types). Une telle vision de l'alcoolisme se distingue de celle qui le reconnaît comme une authentique maladie ; une maladie qui a un support organique, car une réorganisation durable de l'activité cérébrale s'est produite sous l'effet de l'alcool.

Ces deux façons de voir l'alcoolisme sont souvent présentées comme opposées, mais pas toujours. Il s'agit d'un débat important parce que chacune de ces visions a des implications en termes de responsabilité (schématiquement, et en simplifiant un peu : si l'alcoolisme est une simple question de volonté, alors l'alcoolique qui commet un acte délictueux doit être considéré comme responsable ; en revanche si l'alcoolisme est une maladie avec un support cérébral organique, la responsabilité du malade est très atténuée). Sans apporter de réponse à ce débat, le baclofène change la façon d'appréhender la maladie, et de la traiter.

Sans le baclofène, la seule façon de se sortir de l'alcoolisme est de cesser de boire en puisant dans des ressources intérieures suffisamment fortes pour que le renoncement complet à la boisson, et son maintien à long terme, devienne possible. Pour que l'abstinence dure, il faut une force psychologique considérable qui contrebalance la violence de la compulsion. J'ai une immense admiration pour ceux qui cessent de boire sans baclofène. Mais les malades qui s'en sortent grâce à leur volonté ont souvent conscience de la dimension héroïque de leur victoire sur la dépendance ; et ils ont tendance à généraliser, c'est-à-dire à considérer que l'abstinence par la volonté est la seule façon de procéder si l'on veut cesser de boire. J'ai eu l'occasion d'observer que les personnes qui sont parvenues à guérir grâce à d'immenses efforts sur elles-mêmes comptent parmi les plus hostiles au baclofène. Elles ont la certitude que d'autres, avec le même courage, la même obstination, obtiendront le même résultat. Mais tout le monde n'est pas doté des mêmes moyens psychologiques. Et par ailleurs la fréquence de ces guérisons tend à diminuer sur le long terme. Il suffit parfois que survienne un événement très stressant, ou une fête, une réception, un moment de moindre vigilance ou de plus fortes tentations, et le premier verre réenclenche la dépendance. Même les personnes qui ont fait preuve d'une volonté admirable restent très vulnérables, elles rechutent fréquemment et tout est à recommencer. Avec le baclofène, il peut y avoir des rechutes, j'y reviendrai, mais elles n'ont pas les mêmes conséquences.

On connaît toutes sortes de manières de traiter l'alcoolisme en utilisant la volonté des patients, et les traitements habituels en font usage. Par exemple, en soutenant leurs efforts au moyen de groupes d'entraide. Parfois même les patients vivent ensemble pour s'encourager et s'aider à ne pas rechuter. Ces groupes thérapeutiques observent des protocoles stricts sous la direction d'un moniteur qui incite chacun à raconter aux autres son histoire et ses difficultés. Cela se fait dans l'anonymat, on s'entraide pour ne pas boire. Ces réunions de groupe sont organisées par des associations telles qu'Alcooliques anonymes ou Croix bleue, et certains de mes patients m'ont dit qu'ils avaient été très aidés par elles, que leur état s'était amélioré, mais ils ont ensuite rechuté. C'est précisément en raison du caractère éphémère de ces améliorations qu'ils ont besoin du baclofène. Bien entendu, ceux qui s'estiment guéris – il y en a – par une thérapie de groupe ne viennent pas me consulter puisqu'ils ne boivent plus.

On utilise encore d'autres formes de psychothérapies pour soigner l'alcoolisme. Par exemple, les psychothérapies ciblées de type cognitivo-comportemental, qui considèrent que la dépendance se rapproche de ce qu'on appelle une distorsion cognitive. La thérapie consiste à amener le patient à se rendre compte qu'il a des pensées irrationnelles. Dans le cas de l'alcoolisme, ces pensées se résument à : « Je sais que l'alcool est mauvais pour moi, mais je bois quand même. » Les techniques cognitivo-comportementales consistent à modifier ces distorsions cognitives, à faire en sorte que les personnes arrivent à mettre en cohérence leurs pensées et leurs actes, à se dire : « Je sais que je ne dois pas boire et donc je ne bois pas. »

Des psychanalystes se sont également intéressés à l'alcoolisme et ont publié nombre de travaux. On peut dire que toutes les branches des prises en charge psychothérapiques se sont intéressées à l'alcoolisme, et chacune à sa façon obtient plus ou moins de résultats. Mais ces derniers restent, une fois encore, assez souvent provisoires. Le baclofène apparaît donc bien comme l'agent d'une révolution, dans le sens où il supprime sans effort l'envie de boire, de façon durable. Et, dans la plupart des cas, sans nécessiter d'accompagnement sur le plan psychologique.

Aucun médicament, aucune thérapie n'avait jusqu'à présent proposé un traitement efficace sans que le malade soit obligé, littéralement, de se contraindre à ne plus boire. D'un certain point de vue, je pourrais d'ailleurs être le premier à reconnaître que cette façon qu'a le baclofène d'éclipser la volonté, de supprimer la dimension de travail sur soi, a quelque chose qui peut sembler insatisfaisant. Mais il faut se poser la question : le rôle du médecin est-il d'imposer une conduite « morale » à ses patients, ou de les soigner ?

Les thérapies habituelles utilisent des médicaments pour faciliter le sevrage, mais leurs effets restent insuffisants, voire inopérants...

Dans les services d'alcoologie et les cliniques de désintoxication, en association avec les psychothérapies dont je viens de parler, les traitements les plus courants sont effectivement à base de médicaments. Et d'abord ceux qui traitent la dépendance physique. Les benzodiazépines telles que le diazépam (Valium®), l'oxazépam (Séresta®), le clorazépate (Tranxène®), l'alprazolam (Xanax®), le bromazépam (Lexomil®), le prazépam (Lysanxia®) et d'autres sont des médicaments autorisés pour une courte période, de huit à dix jours, le temps que les patients franchissent l'étape très douloureuse de sortie de la dépendance physique. Quand une personne est gravement alcoolisée depuis longtemps, l'arrêt brutal de l'alcool peut entraîner un syndrome dit de sevrage qui est très impressionnant. Cela peut aller jusqu'au delirium tremens décrit par Zola dans *L'Assommoir*. Je rappelle que toute une série de symptômes apparaissent alors, notamment des tremblements et une épilepsie, mais également des symptômes psychiques : confusion mentale, délires, hallucinations, etc. Le syndrome de sevrage est parfois très grave, toujours désagréable, et ce sont des médicaments qui aident ces malades à franchir cette étape, que l'on conduit généralement en milieu spécialisé.

Le plus souvent cependant, le syndrome de sevrage prend une forme plus atténuée, consistant en des tremblements et des sueurs, associés à un malaise psychologique. Mais, dans ce cas aussi, des médicaments peuvent être utilisés pour aider les patients.

D'autres encore visent à diminuer la consommation et à éviter les rechutes. Les alcoologues, les médecins généralistes parfois, les emploient depuis longtemps. Mais chacun, à sa façon, bute sur des limites. L'acamprosate (sa dénomination commune internationale ou DCI) est une molécule commercialisée par les laboratoires sous le nom Aotal®. L'acamprosate agit sur certains récepteurs dans le cerveau. Son efficacité est minime et controversée. C'est un produit européen et des études faites en Europe ont montré qu'il avait une efficacité faible (à peu près 10 % de différence entre les patients traités par un placebo et ceux qui prennent ce médicament). De leur côté, les Américains ont eux aussi fait des essais et ne lui ont pas trouvé d'efficacité. On ne peut donc pas considérer que c'est un médicament majeur.

La naltrexone (pour la DCI), commercialisée sous le nom de Revia®, est également utilisée. C'est un bloqueur des récepteurs aux opiacés. Et, de façon intéressante, le fait de bloquer des récepteurs aux opiacés produit un effet anti-craving. Le Revia® aurait fait ses preuves chez les malades qui ressentent le craving le plus fort – moins chez les autres –, mais c'est aussi une molécule très controversée. Elle a démontré une efficacité à trois mois. Or à six mois, nombre de patients disent qu'ils ne constatent aucune différence avec un placebo. Ce n'est donc pas une molécule à effet durable. Certains estiment aussi qu'elle n'est efficace que chez ceux qui auraient des particularités génétiques. Quoi qu'il en soit, les résultats du Revia® ne sont pas probants et, à distance d'au moins un an, son effet est quasiment nul

La faible efficacité de ces deux médicaments est ce qui a permis au «pape» de la pharmacologie, le docteur Stephen Stahl, de parler de «nihilisme thérapeutique» à leur propos[12]. Ce qui n'empêche pas l'industrie pharmaceutique de développer actuellement un médicament presque identique au Revia®, le nalméfène, qui n'est pas encore commercialisé en France.

Un troisième médicament, beaucoup plus classique (on l'utilise depuis près de cinquante ans) et nettement plus efficace, est le disulfirame (DCI), vendu sous le nom d'Espéral® (ou encore Antabuse®, mais cette appellation a disparu en France). Son mode d'action est très différent : si vous le prenez en même temps que de l'alcool, il vous rend affreusement malade, un effet que l'on appelle parfois « l'effet Antabuse ». La prise d'alcool entraîne en effet la formation dans l'organisme d'une molécule, l'acétaldéhyde, qui a des effets très désagréables (nausées, vomissements, maux de tête, etc.). Normalement, ces effets n'apparaissent pas parce que cette molécule est détruite rapidement dans l'organisme : elle est dégradée par une enzyme, l'ALDH2. Le principe du traitement est d'empêcher l'acétaldéhyde de disparaître rapidement après une prise d'alcool, pour qu'elle ait le temps de remplir une fonction dissuasive. Le disulfirame est un inhibiteur de l'ALDH2. Les patients sous disulfirame évitent donc de boire pour ne pas avoir à subir ces effets désagréables, d'où le nom qu'on a donné à ce traitement de « cure de dégoût ». C'était une méthode très prisée autrefois par les services d'alcoologie, elle l'est moins aujourd'hui. Il est avéré que les patients qui prennent de l'Espéral® sont effectivement abstinents, mais que la contrainte est énorme parce que le disulfirame ne supprime pas du tout l'envie de boire. Aussi, continuer à prendre du disulfirame implique qu'on fasse en même temps, et sur la durée, des efforts considérables pour rester abstinent. Souvent les malades apprennent à adapter leur traitement à leur besoin d'alcool : pour pouvoir boire, ils cessent, par périodes, de le prendre. Et le moment vient généralement où ils arrêtent complètement parce que entre l'alcool et l'Espéral®, ils finissent par choisir l'alcool.

Le traitement par le disulfirame n'est donc pas un traitement « étiologique », comme on dit d'un médicament quand il agit sur la cause d'une maladie (ici le craving), c'est plutôt un traitement comportemental. Il est fondé lui aussi sur le dogme de l'abstinence, et exige, pour produire des effets positifs, beaucoup de volonté. C'est pour cela que, sur le long terme, il échoue souvent. Le baclofène, qui supprime le craving, peut, lui, être considéré comme un traitement étiologique.

Peut-on dire à un malade, sans lui mentir, qu'avec le baclofène, on va le guérir de son alcoolisme ?

On se garde bien de dire une chose pareille. Parce que la réponse, qui est oui pour la plupart, ne l'est pas pour tous, même si plus de la moitié des patients traités « guérissent ». Il faut mettre ce mot entre guillemets parce que si c'est le meilleur qu'on puisse utiliser, il ne veut pas dire que la maladie a été supprimée définitivement. Il signifierait plutôt qu'il y a guérison de l'épisode qui avait conduit le patient à consulter, et que le patient ne ressent plus le besoin compulsif de boire. On « guérit » d'autres maladies de la même façon, grâce à un médicament qui supprime le symptôme. Pour le diabète par exemple, vous prenez de l'insuline et vous ne ressentez plus les effets de la maladie. Et, si vous arrêtez l'insuline, vous rechutez. Pour des maladies très graves, des maladies mentales comme les troubles bipolaires qu'on appelait autrefois psychoses maniaco-dépressives, on connaît depuis longtemps un médicament efficace, le lithium. Ceux qui en prennent n'ont en général plus les symptômes de leur maladie. On parle de guérison symptomatique, mais mieux vaut parler de rémission des symptômes. Celle-ci dure aussi longtemps que le patient suit son traitement, c'est-à-dire en général toute la vie.

Pour le baclofène, c'est la même chose en début de traitement, quand survient une rémission du craving. Sur le long terme, les choses sont différentes parce que le baclofène n'est pas un traitement à vie. Quand l'idée de l'alcool a complètement disparu de la tête des patients, quand il n'existe plus de dépendance psychique, on peut l'arrêter, et le patient ne rechute pas.

Je pense donc qu'en fait, il peut y avoir d'authentiques guérisons de la maladie alcoolique avec le baclofène, des guérisons durables, même définitives, mais ce sont des choses qui se préciseront avec le temps. Nous disposons seulement d'un peu plus de quatre ans de recul pour en juger, et si des milliers de malades ont cessé d'être dépendants, le délai est trop court pour savoir combien de ces guérisons seront définitives. Pour dire que le baclofène guérit la maladie alcoolique, il faudrait que les patients ne rechutent jamais. Or nous ne savons pas ce qui va se passer. J'estime néanmoins que, dans un grand nombre de cas, on pourra avec le recul parler de guérison véritable.

Quand un malade me demande s'il va guérir, je lui indique toujours les résultats chiffrés qui correspondent à ce que j'ai observé. Sur cent personnes traitées par le baclofène, un peu plus de la moitié environ guérissent au sens que je viens de définir, environ 30 % voient leur situation largement améliorée avec une consommation qui diminue de façon très significative ; il reste entre 15 % et 20 % des personnes soignées qui se révèlent résistantes au traitement : elles ne ressentent aucun effet, ou un effet trop faible pour que cela modifie leur consommation d'alcool (on verra plus tard que, chez ces patients, le problème peut être que les doses qui rendent indifférents à l'alcool n'ont pas été atteintes). Ceux chez qui le traitement est un succès deviennent indifférents à l'alcool. S'ils continuent de boire, c'est de façon modérée et contrôlée, ils ne sont plus esclaves de la dépendance, l'alcool ne les intéresse plus vraiment, ils boivent plutôt de façon occasionnelle.

Comment décrire cette indifférence ?

L'indifférence est plus ou moins la même pour tout le monde, mais les étapes pour y arriver, et le ressenti subjectif de l'indifférence, peuvent varier d'un patient à l'autre. L'indifférence peut survenir d'une façon soudaine, à une dose donnée, ou de façon beaucoup plus progressive, apparaissant même à des faibles doses, mais de façon partielle ou irrégulière, et ne devenant complète qu'à des doses beaucoup plus élevées. L'indifférence peut aussi être précédée par des symptômes particuliers. Par exemple, certains patients sous baclofène disent que le goût de l'alcool a changé pour eux, d'autres qu'il n'a plus de goût du tout, d'autres qu'il a mauvais goût, d'autres encore qu'il a toujours bon goût, mais qu'il leur fait moins envie.

S'il ne modifie pas nécessairement le goût de la boisson, le baclofène modifie en revanche, et c'est le plus important, le rapport que les malades entretiennent avec l'alcool : les personnes qui ont arrêté grâce au baclofène ne disent pas que boire leur manque. Certains arrêtent totalement de boire et ne veulent plus toucher à une goutte d'alcool. Mais j'entends souvent aussi mes patients me dire : « Hier j'ai assisté à une fête d'anniversaire, il y avait du champagne, j'en ai bu, mais je ne suis pas arrivé à la fin de la coupe, et je n'en ai pas repris. » Ou alors, s'ils boivent plus d'un verre ou deux, le lendemain, en reprenant du baclofène, l'envie de boire ne réapparaît pas. Pour ces patients, c'est une preuve de maturité que de savoir ce qu'ils veulent, quand ils le veulent, et de piloter leur traitement en conséquence. Une fois que leur appétence pour l'alcool a disparu, ils apprennent rapidement à gérer les doses du médicament dont ils ont besoin en tenant compte de leur environnement et de leur façon de vivre. Avec le baclofène, on peut arrêter de boire, reprendre brièvement, arrêter de nouveau… Il existe aussi des patients qui arrêtent le baclofène pendant une certaine période, pour boire, et reprennent le traitement ensuite. Cela change beaucoup de choses pour les patients. Car les personnes qui demandent du baclofène ont souvent connu, avec d'autres traitements, une ou plusieurs rechutes, qui signaient l'échec de la thérapie suivie et le retour du besoin compulsif de boire.

Pour être complet, je signale qu'il existe actuellement, chez les alcoologues, un courant qui ne vise pas à l'arrêt complet de la consommation d'alcool. Cette approche propose l'objectif plus modeste d'une réduction de la consommation. Mais je ne suis pas d'accord avec cette façon de faire : on ne peut pas se donner pour seul but la réduction des risques de toxicité de l'alcool. J'estime qu'il faut s'attaquer à la dépendance elle-même, qu'il faut que la consommation d'alcool cesse complètement, ou presque complètement, les patients gardant un contrôle complet sur leur consommation. Le baclofène permet, comme je l'ai indiqué, une consommation insignifiante et épisodique qui n'entraîne pas le retour à la dépendance.

Le baclofène rend inutile l'accompagnement psychologique considéré comme nécessaire avec les autres traitements...

La question de l'accompagnement psychologique du malade est très souvent soulevée par les alcoologues. Les adversaires du baclofène avancent que la prescription de baclofène se fait trop facilement, et qu'elle est pratiquée de façon «sauvage» par des médecins qui n'ont pas l'expérience de la prise en charge psychologique (généralistes, gastro-entérologues) des patients alcooliques. Ils crient au danger, parlent de l'absolue nécessité d'une «prise en charge globale», c'est-à-dire de l'accompagnement psychologique du malade.

Je considère que c'est une façon de freiner les prescriptions de baclofène et de discréditer celles faites par les généralistes et les gastro-entérologues. On peut même y voir une méthode d'intimidation. On entend dire, par exemple, que les malades boiraient parce qu'ils sont anxieux, phobiques ou déprimés, et que les délivrer de l'alcool, c'est les exposer à retomber dans leurs troubles anxieux, phobiques et dépressifs ; qu'on ne peut pas les laisser dans cette situation, qu'il faut nécessairement associer un accompagnement psychologique à toute prescription de baclofène. Et, entend-on encore, comme la plupart des prescripteurs sont incapables d'assurer cet accompagnement, le remède est pire que le mal. C'est comme si on disait aux médecins qui n'ont pas été formés aux prises en charge psychologiques : «Abstenez-vous de prescrire du baclofène, sinon vous allez avoir des ennuis.»

La façon dont est présentée cette prétendue nécessité montre une méconnaissance fondamentale de ce qu'est l'alcoolisme. Il est vrai que nombre de patients ont commencé à boire parce qu'ils souffraient d'anxiété, de phobies ou de dépression (même si c'est loin d'être le cas pour tous). Mais la dépendance à l'alcool est un enfer infiniment plus insupportable que le fait d'être anxieux, phobique ou déprimé. Pour la plupart des patients guéris par le baclofène, les raisons qui, vingt ou trente ans plus tôt, les avaient poussés à boire sont oubliées depuis longtemps. Anxiété, phobies, dépression n'ont en général plus de sens pour eux. Seuls ceux qui ont vécu l'enfer de la dépendance, ou qui sont en contact quotidien avec des patients traités par le baclofène, savent à quel point l'arrêt de la boisson représente une délivrance. Certains patients en pleurent de bonheur.

Les alcoologues savent d'ailleurs très bien que la prétendue nécessité de « prise en charge globale » sur laquelle ils insistent est loin d'être toujours justifiée. À ce sujet, les généralistes et les gastro-entérologues ne sont pas incompétents, or beaucoup prescrivent du baclofène avec succès, sans prise en charge globale. Je ne saurais dire le nombre de généralistes qui m'ont rapporté des guérisons de malades sous baclofène, et m'ont dit avoir été stupéfiés par son efficacité, sans autre forme de prise en charge associée. Ils savent d'ailleurs très bien repérer des troubles psychologiques chez un patient que le baclofène aura guéri. Tous les médecins connaissent des psychothérapeutes, des confrères, des correspondants auxquels ils peuvent envoyer un malade. C'est une pratique courante, qui va de soi.

Avant de prendre du baclofène, vaut-il mieux que le malade ait essayé un ou plusieurs autres traitements, qui auront échoué ?

Non. À ce propos, j'ai pris un jour la décision de soigner tous ceux qui me le demanderaient, à condition évidemment que la demande soit justifiée. Au début, en 2008, quand j'ai commencé à prescrire, ne venaient me voir que des malades qui avaient effectivement essayé tous les traitements disponibles ; qui avaient, le plus souvent, subi de nombreuses cures de sevrage et fait des séjours dans des centres de postcure. Cela a duré un an ou deux. Le baclofène n'était pas très connu alors, et, pour ces patients, il faisait figure d'ultime recours. La plupart connaissaient le médicament grâce au livre d'Olivier Ameisen. Beaucoup me disaient : « Je sais que c'est ma dernière chance. » C'est à propos de ces malades que l'on parle de traitement compassionnel.

Par la suite, la réputation du baclofène et de son efficacité s'est propagée, largement grâce à Internet. Des patients alcooliques qui n'avaient jamais vu de médecin pour leur addiction (quelques-uns me disaient même : « N'en parlez pas à mon médecin, il n'est pas au courant ») sont venus me voir, déjà bien informés sur le nouveau traitement. Beaucoup, vivant dans la honte ou la culpabilité, n'avaient jamais parlé à personne de leur besoin de boire, mais ils avaient cherché sur Internet la meilleure façon de se soigner. Le message commençait d'être largement diffusé par les internautes : il présentait le baclofène comme le traitement le plus efficace comparé à tous les autres, précisant que certains de ses effets secondaires pouvaient être gênants, mais que ceux-ci étaient bénins. C'est ainsi que le baclofène a été découvert par des malades qui, après avoir acquis de solides connaissances sur le sujet, ont voulu essayer le traitement qui pourrait, espéraient-ils, les guérir.

Il faut savoir que plus de 80 % des alcooliques ne cherchent pas à se soigner : le fait a été établi par plusieurs études scientifiques ; seulement 15 à 20 % des alcooliques sont demandeurs de soins. Mais la situation évolue rapidement, comme le montrent les chiffres ; depuis quelques mois, les ventes de baclofène en pharmacie explosent littéralement. Je l'ai constaté moi-même : depuis un an ou deux je vois de plus en plus de patients qui n'avaient jamais, jusque-là, cherché à se soigner parce qu'ils savaient que les traitements habituels de l'alcoolisme étaient inefficaces ou trop contraignants. Ils ne se sentaient pas capables d'affronter l'obligation d'abstinence. Après avoir entendu parler du baclofène, ils ont pensé que le traitement leur conviendrait, et ils sont venus consulter.

3.

Prescription et suivi : l'impératif de la lenteur

Le premier contact entre le malade alcoolique qui a entendu parler du baclofène et le thérapeute constitue un pas décisif, que tous les malades ne sont pas prêts à franchir...

La majorité des patients que je reçois décident de venir d'eux-mêmes et veulent vraiment se soigner. À l'exception des tout premiers cas dont j'ai parlé, je n'ai jamais pris l'initiative de proposer de traitement par le baclofène à un malade qui n'en a pas fait expressément la demande (sauf à certains patients hospitalisés dans mon service pour des troubles psychiatriques graves, associés à un alcoolisme). Je n'ai jamais, non plus, proposé de baclofène à des patients non hospitalisés en dehors de ceux qui viennent consulter pour cela.

Tous les malades n'appellent pas personnellement pour prendre le premier rendez-vous, il arrive qu'un proche le fasse pour eux. Au début, nous étions convenus avec les secrétaires qu'elles ne prendraient en considération que les patients qui en feraient la demande pour eux-mêmes. Mais, avec le temps, on s'est aperçu qu'on ne pouvait pas refuser de donner suite aux démarches faites par l'entourage, il y avait trop d'appels impossibles à écarter : des situations dramatiques, avec des patients trop malades, confus ou détériorés pour appeler eux-mêmes. J'ai vu ainsi beaucoup de patients qui consultaient moins de leur fait que poussés par un père, une mère, une sœur, un conjoint, un employeur, les services sociaux, etc. De telle sorte que j'ai été amené à prescrire du baclofène à nombre de malades qui n'étaient pas nécessairement demandeurs de soins. On ne peut pas s'attendre à ce que ces malades suivent le traitement avec autant de sérieux que d'autres qui ont personnellement décidé de se libérer de leur dépendance.

La consultation elle-même peut poser des problèmes délicats si le patient a été amené par sa famille. Celle-ci l'a incité, contraint peut-être, à se soigner sans qu'il ait véritablement décidé de le faire. À l'évidence, les chances de succès sont alors moindres et l'expérience montre que, plus les patients viennent à la consultation amenés par leurs familles, moins le traitement est efficace. Cela ne change pas grand-chose dans ma façon de procéder vis-à-vis d'eux. Ce que ces malades attendent de moi, c'est du baclofène, et je vais le leur prescrire si je n'y trouve pas d'obstacle. Que, dans ces cas-là, mon état d'esprit soit a priori un peu pessimiste ne change rien à l'affaire, je vais soigner ce patient exactement comme s'il avait lui-même, spontanément, demandé à être traité. Mais si c'est sa famille qui l'a plus ou moins directement obligé à venir consulter, j'ai bien conscience de la difficulté que cela représente pour lui. Cet aspect est effectivement important dans la mesure où très souvent la famille est plus demandeuse que le patient lui-même. Il faut régler ce type de situation au coup par coup, intuitivement. Quand c'est la famille qui a pris le rendez-vous, elle accompagne généralement le patient, je la trouve avec lui dans la salle d'attente. C'est un moment délicat où il faut, en une demi-seconde, juger de ce que l'on va faire : recevoir le patient seul ou non.

Vu seul, celui-ci est fréquemment dans le déni de sa maladie ; il dit – contre toute évidence – qu'il va bien, qu'il n'a aucunement besoin d'aide. Une phrase que j'entends souvent : « Je m'arrête quand je veux », une façon pour lui de refuser d'admettre son état. La famille, quand elle l'accompagne, est très souvent intrusive et parle à la place du malade pendant la consultation : « Docteur, je vais vous expliquer ; docteur, il ne saura pas vous raconter », etc. Je vois ainsi des conjoints, des sœurs (rarement des frères), des mères souvent, qui n'en peuvent plus, qui ne savent plus comment faire face aux difficultés énormes qu'ils vivent au quotidien. Certaines familles ont véritablement des choses à dire et les précisions qu'elles apportent peuvent m'aider. Aussi, d'ordinaire, je vois le patient d'abord, seul, et la famille ensuite. Dans certains cas, les patients souffrent manifestement d'une atteinte organique cérébrale, ils tiennent à peine debout, ils ont beaucoup de mal à s'exprimer ; je demande alors à un proche d'être présent.

En règle générale, j'apprécie que les familles soient impliquées. Mais il est difficile de deviner a priori si elles vont aider le patient à se soigner, ou si, inversement, leur attitude aura des effets négatifs. Certaines sont prises dans des interactions systémiques conflictuelles, passionnelles, souvent très anciennes, transgénérationnelles parfois. On a ainsi l'impression que les histoires de chacun et la façon dont elles s'entremêlent viennent éclater dans le bureau de consultation alors qu'elles mijotent depuis très longtemps faute d'avoir trouvé à s'exprimer ouvertement jusque-là. Dans les conflits familiaux qui charrient souvent des contentieux anciens, le symptôme « alcool » apparaît finalement comme une forme de traitement, ou même de résolution du conflit. L'alcoolisme est, pour beaucoup, une « solution » qui consiste à exposer, aux yeux de tous, le bien-fondé de leur autodestruction. Une « solution » en forme de provocation destinée à culpabiliser ou à punir les autres, les membres de la famille notamment. Ce sont des situations parfois compliquées et difficiles à gérer pour le médecin et, dans ces cas-là, le recours à une psychothérapie familiale est indispensable. Souvent, cependant, les patients la refusent. Cela dit, ces situations de conflits graves et profonds qui jouent un rôle de premier plan, voire causal, dans l'alcoolisme d'un membre d'une famille ne sont pas majoritaires. Les conflits familiaux sont fréquents, presque constants, mais leur rôle déterminant, majeur ou exclusif, dans le développement de la maladie n'est pas très courant.

Il faut donc, pour le médecin, faire la part de ce qui va aider le malade et de ce qui risque d'être mauvais pour lui. Il m'est arrivé, rarement je le précise, de faire sortir de mon cabinet un proche dont le comportement vis-à-vis du patient était visiblement toxique, au point que je doive clairement prendre position et dire : « Ce n'est pas possible, on ne peut pas travailler dans ces conditions. Si on veut aller droit à l'échec, il suffit de continuer comme ça »… J'ajoute que, si cette attitude peut aider le patient, elle est totalement inopérante vis-à-vis de la famille. Quand les conflits sont tellement ancrés, tellement solidifiés et, en permanence, tellement explosifs, il ne sert à rien de dire à l'entourage familial ou à un proche qu'ils ne se comportent pas au mieux des intérêts du malade.

Quand le malade refuse de se soigner, que peut faire l'entourage ?

C'est une situation que les médecins rencontrent fréquemment. Elle est difficile à traiter parce que les malades qui boivent et qui refusent de se soigner souffrent souvent de pathologies associées. La dépression par exemple. Or, même si les patients sont déprimés, les traitements antidépresseurs ne sont d'aucune aide dans le traitement de l'alcoolisme, cela a été montré dans de nombreuses études. Il faut trouver un autre angle d'approche.

Impliquer la famille et l'utiliser comme une alliée n'est cependant pas non plus une bonne méthode. Rapidement,

le patient ressent comme dirigée contre lui ce qu'il considère être une collusion du médecin et de la famille, et cela
renforce le symptôme, son alcoolisme assorti d'un refus de
soins.

Ces alcooliques sont souvent ambivalents. Ils viennent
consulter le médecin tout en affirmant qu'ils n'ont pas
vraiment besoin de lui ou d'elle, comme s'ils avaient une
double personnalité, avec des états contradictoires qui se
manifestent d'une façon ou d'une autre selon les circonstances. D'abord une facette de toute-puissance : la plupart
des buveurs estiment – au moins par moments – qu'ils ont
le droit de boire, et qu'ils n'ont pas de leçon à recevoir.
Cela s'accompagne chez eux de la certitude qu'ils arrêteront l'alcool s'ils décident de le faire. Se mentir à soi-
même fait partie de ce que chacun fait à l'occasion, mais
les alcooliques se mentent à eux-mêmes tout le temps et
contre toute évidence quand ils déclarent : « Je m'arrête
quand je veux », alors qu'ils ne le peuvent pas. C'est une
illusion, un discours qu'ils tiennent sur le thème :
« Laissez-moi tranquille », une façon pour eux de revendi-
quer leur liberté de boire. Mais cette attitude se double
d'une image de soi catastrophique, et c'est là l'autre facette
de ce que ressentent les gros buveurs : quelque chose qui
n'est pas loin de la dépression, une dévalorisation de soi-
même, constante, profonde. Pour ces malades, cela a été
souvent souligné, toutes les issues paraissent bloquées. La
consommation d'alcool est une méthode connue à
laquelle recourent des personnalités insécures qui veulent
néanmoins projeter une bonne image ; c'est souvent effi-

cace dans un premier temps, l'alcool leur donnant de l'assurance ; mais ensuite, une fois la dépendance installée, ces malades savent qu'ils ne projettent plus ni assurance ni image positive, qu'il ne leur reste que la dépendance et l'échec. Ils ont perdu toute considération pour eux-mêmes, et l'alcool n'est plus qu'un cache-misère qui masque leur incompétence, réelle ou ressentie comme telle.

Pour les amener à se soigner, il faut sans doute d'abord les aider à reprendre confiance dans leurs capacités. Para-doxalement peut-être, il faut les valoriser, les conduire à croire qu'ils sont capables de réussir des choses impor-tantes. Le but est de les faire sortir de leur ambivalence, de leur faire accepter l'idée qu'ils sont des êtres humains dignes de respect, responsables de leurs choix et de leurs actes. Cela peut les amener à accepter de se soigner.

Il existe des techniques psychothérapiques centrées sur ces problématiques[13], mais elles ne sont pas très répandues en France. On dispose en revanche de nom-breuses structures spécialisées en thérapie familiale. Quand les familles se sentent désarmées face à l'ambiva-lence qu'éprouvent les patients vis-à-vis de leur traite-ment, on peut faire appel à elles. Pour ce que j'en sais, ce ne sont pas des structures spécialisées dans l'approche des problèmes d'addictologie. Celles que je connais sont néanmoins ouvertes à tous les conflits intrafamiliaux quelle que soit leur nature, donc pas du tout fermées aux problèmes d'addiction. Une prise en charge familiale peut donc constituer une bonne indication pour les familles en grande difficulté quand on est en présence de malades peu désireux de se soigner. Encore faut-il qu'ils acceptent de participer à ces thérapies.

La prise de rendez-vous avec un médecin prescripteur de baclofène continue de représenter un obstacle même si elle est devenue plus facile que précédemment...

Je constate que la situation s'améliore. En ce qui me concerne, c'est le secrétariat du centre de consultation qui prend les rendez-vous. C'est une difficulté, car les secrétaires sont débordées. La première chose qu'elles ont d'ailleurs à gérer est la liste d'attente. Celle-ci est longue. Les personnes que je reçois ont en général pris rendez-vous deux, trois ou quatre mois plus tôt. De ce point de vue, pour un malade qui a décidé de se soigner, le délai peut paraître interminable. Mais si la situation s'améliore c'est parce que le nombre de médecins qui prescrivent du baclofène en France augmente. Il est même devenu très important. Il y en a des centaines, peut-être des milliers aujourd'hui, et les associations (je reparlerai de leur rôle fondamental dans l'histoire française du baclofène) communiquent leurs noms et leurs coordonnées à ceux qui s'adressent à elles. Il y a trois ans seulement, je savais que si je ne donnais pas rendez-vous à quelqu'un, personne d'autre ne lui prescrirait le médicament. Aujourd'hui, je sais que si le centre où se tient ma consultation ne peut pas répondre à leur demande de rendez-vous, les patients trouveront d'autres adresses.

Quand elle répond au téléphone, la secrétaire commence donc toujours par proposer une liste de prescripteurs aux patients. Actuellement, environ neuf patients sur dix sont dirigés vers quelqu'un d'autre qui ne se trouve pas trop loin de chez eux. De la même manière d'ailleurs, nombre de personnes inscrites sur la liste d'attente ne viennent pas à la date prévue, elles annulent leur rendez-vous en déclarant qu'elles ont trouvé quelqu'un pour les soigner plus rapidement. Si, pour beaucoup de malades qui ne connaissent pas encore les associations, ou qui sont isolés, la quête d'un médecin prescripteur continue de ressembler à un parcours du combattant, je constate que, dans l'ensemble, la situation va en s'améliorant.

L'attitude des autorités sanitaires, très hostiles jusqu'à l'année dernière, évolue elle-même. Avec le « point d'information » de l'ANSM (ex-Afssaps) d'avril 2012, les médecins se sentent plus libres de prescrire du baclofène[14]. J'y reviendrai.

Les médecins sont également mieux informés, désormais, sur la procédure à suivre. Des examens préalables à la prescription d'un médicament sont nécessaires quand on craint que celui-ci ait des effets indésirables qui pourraient mettre en péril la santé des patients. Mais le baclofène, je l'ai dit, est une molécule dépourvue de toxicité. A priori aucun examen préalable n'est à faire. Au départ, il suffit d'interroger le patient sur son état de santé. Comme le médicament produit un certain nombre d'effets indésirables, il est justifié que l'on prenne des précautions, et les réponses données par le patient lors de son interrogatoire permettent au médecin prescripteur de décider de la conduite à suivre*.

Il y a en effet des malades à qui on ne peut prescrire le médicament qu'avec d'extrêmes précautions. Ce sont ceux qui souffrent d'atteintes organiques du cerveau qui auront besoin d'être le plus entourés. L'alcool est très toxique pour le cerveau et nombre d'alcooliques présentent des troubles cognitifs avec non seulement des problèmes de mémoire, mais un déficit de l'attention, de la capacité à être présent ou à se plier aux exigences du traitement. Si personne n'est auprès d'eux pour leur donner le médicament, l'observance risque d'être médiocre ou nulle, ce qui est évidemment problématique. Le risque le plus sérieux est que le malade prenne brusquement une grande quantité de baclofène – en général sans intention suicidaire, mais suite à une inattention –, ce qui peut déclencher un état confusionnel.

Pour l'autre organe qui souffre le plus de l'excès d'alcool, le foie, la vigilance s'impose aussi. La toxicité hépatique potentielle du baclofène est très modérée, à mon avis presque inexistante, sauf peut-être pour de rares personnes particulièrement vulnérables. Pour celles qui suivent le traitement, un bilan hépatique doit être cepen-

---

* Voir Annexe 2, «Les précautions que doit prendre le médecin prescripteur», p. 173.

dant fait régulièrement pour voir si le baclofène n'a pas d'effet nocif. Parmi mes patients, je n'ai jamais vu que la fonction hépatique ait été aggravée par le baclofène, je l'ai même vue s'améliorer du fait de la diminution de la prise d'alcool. À l'avenir, on décrira peut-être des cas cliniques d'aggravation, mais cela restera certainement exceptionnel. L'alcool est extrêmement toxique pour le foie, le baclofène l'est très peu, voilà ce qu'il faut retenir. Je rappelle que le baclofène est couramment utilisé chez les personnes qui souffrent de cirrhose.

Enfin, il faut être très prudent avec les patients qui présentent des troubles respiratoires (insuffisance respiratoire, apnées du sommeil non soignées) et des troubles cardio-vasculaires. Je ne prescris jamais de fortes doses chez les personnes qui souffrent de ce type de troubles.

Le médecin prescripteur doit absolument observer un certain nombre de règles...

La première est une obligation d'information du patient. Il y a aussi des règles déontologiques, et d'autres, qui sont morales. Le patient doit en effet être complètement et clairement informé sur les précautions d'emploi et les effets indésirables du baclofène. Il doit également savoir que la prescription qu'il est venu chercher est hors AMM. Ces informations sont obligatoires, légales, mais elles font aussi partie de l'alliance que le médecin et le patient doivent explicitement conclure.

J'explique aussi aux malades qui viennent à la consultation qu'ils ne sont là que pour une prescription de baclofène, pas pour autre chose. Si le patient me demande d'autres médicaments (pour l'anxiété ou la dépression par exemple, ou autres) ou un arrêt de travail, je le renvoie à son médecin traitant. Je ne me substitue jamais à celui-ci. Et, la plupart du temps, j'appelle le médecin traitant, ne serait-ce que pour des raisons déontologiques, afin de lui expliquer ce que j'ai prescrit. Le patient me demande parfois de ne pas le faire : « Non, non, n'appelez pas mon médecin, il ne sait pas que je suis alcoolique. » Je respecte ce souhait. Il m'arrive néanmoins d'avoir pour d'autres raisons le médecin en question au téléphone, et en général celui-ci me confie qu'il sait évidemment que son patient boit, mais que ce dernier refuse d'aborder cette question avec lui. Quand j'apprends par ailleurs, par le malade, que son médecin traitant n'a pas voulu, pas osé, ou pas su lui prescrire du baclofène, je suis évidemment indigné, même si je garde ce sentiment pour moi.

Je n'interviens pas sur les traitements prescrits par des collègues parce qu'il y a peu d'incompatibilité entre le baclofène et les traitements à visée somatique, et pratiquement aucune avec les psychotropes (ces médicaments qui agissent sur le cerveau, comme les anxiolytiques, les antidépresseurs, les antiépileptiques, etc.). Il est possible que la prise de psychotropes associée à du baclofène ralentisse l'effet de ce dernier, le rende moins efficace, mais ce n'est pas démontré. Il est en revanche bien établi que l'association du baclofène et des psychotropes peut potentialiser ou aggraver certains effets indésirables (comme une fatigue, ou un endormissement, ou même une confusion mentale), surtout si les patients continuent à consommer de l'alcool. Mais, en dehors de cela, il n'y a pas d'interactions qui soient reconnues comme potentiellement dangereuses.

Au cours de la première consultation, je demande toujours au patient de lire et de signer un formulaire d'information qui porte sur la prescription que je vais lui donner. Dans ce formulaire figurent notamment les éléments que j'ai besoin de connaître concernant sa santé, et les précautions d'emploi à prendre compte tenu des maladies dont il souffre peut-être. Cela permet de bien souligner ce que j'ai déjà dit oralement, entre autres que ce traitement est hors AMM, tout en précisant qu'il n'est pas du tout interdit de prescrire hors AMM. Mais un médecin qui procède ainsi prend un risque parce que, s'il devait y avoir un accident avec le médicament, le patient ou sa famille pourrait se retourner contre lui. Il est donc important que le patient ait conscience de la responsabilité que prend le médecin.

D'autres informations doivent être communiquées au malade, notamment qu'il peut y avoir des effets secondaires, on dit aussi indésirables, importants. Tous les effets secondaires potentiels du médicament doivent avoir été clairement expliqués. Ce point est essentiel parce qu'une des principales causes d'échec du traitement par le baclofène est son arrêt prématuré en raison d'effets secondaires indésirables. Ceux-ci peuvent être nombreux, certains très difficiles à supporter. Il faut donc prévoir ce qui peut arriver et expliquer au patient ce qu'il devra faire pour gérer la situation. Il ne doit pas être pris par surprise.

Dans mes explications, j'insiste sur le fait que le principal effet indésirable du baclofène, la fatigue, est bénin en lui-même, mais qu'il peut se révéler dangereux dans certaines circonstances : si, par exemple, le patient conduit un véhicule, ou s'il utilise des outils dangereux. J'insiste beaucoup là-dessus : la fatigue est généralement sans conséquence sérieuse, mais s'endormir au volant, ou subir une chute brutale de vigilance quand on utilise un outil peut être extrêmement grave. Toute la dangerosité du baclofène se situe là. Après la prise du médicament, la fatigue peut survenir d'une façon très banale et n'occasionner aucune gêne particulière, mais elle peut aussi se manifester par des moments de somnolence qui surviennent brutalement, parfois de véritables attaques de sommeil où l'on s'endort en quelques secondes.

C'est le seul effet potentiellement grave du baclofène. Il est indiqué dans le formulaire d'information qu'on ne doit ni conduire ni utiliser de machine dangereuse pendant les premières semaines de traitement. La fatigue et la somnolence ne font pas irruption dans tous les cas, mais assez fréquemment tout de même. Elles se manifestent quand on atteint certains paliers de doses et disparaissent au bout de quelques semaines. Plus on augmente rapidement les doses, plus elles sont fréquentes, c'est une des raisons pour lesquelles les doses ne doivent être augmentées que lentement.

À la fatigue et à la somnolence peuvent s'ajouter des symptômes tels qu'une légère confusion mentale, des vertiges, des sensations nauséeuses, des maux de tête ou impressions sensorielles bizarres et désagréables. Le patient se sentira mal. Cela peut, encore une fois, le conduire à la tentation d'arrêter le traitement. Le rôle du médecin est justement de faire en sorte que le patient n'arrête pas de lui-même. Aussi doit-il anticiper ces effets secondaires avec lui, lui apprendre à les gérer. Quand, à une certaine dose, un effet secondaire trop gênant apparaît, on arrête la progression des doses, au besoin on revient doucement en arrière, on attend quelque temps, et on reprend la progression par demi-comprimés au lieu de comprimés entiers. Tout cela se discute avec le patient et se prévoit.

C'est pourquoi le patient emporte avec lui ce formulaire sur lequel sont explicitement énumérés tous les effets secondaires possibles, des plus anodins aux plus sérieux, pour qu'il dispose d'un document auquel il se référera si un effet indésirable survient. Je lui remets aussi un schéma de prescription, en lui demandant de le suivre attentivement.

Comment le médecin décide-t-il des doses qu'il va prescrire ?

La prescription de baclofène, sa posologie, se distingue de celle de la plupart des médicaments utilisés en médecine. Pour ces derniers, la posologie est préétablie. Pas pour le baclofène dans son utilisation du traitement de l'alcoolisme. C'est au médecin qu'il appartient de décider des doses.

Les maîtres mots pour le baclofène sont «progression lente», «tâtonnement» et «habituation». La notion d'habituation est fondamentale : on augmente progressivement le baclofène pour que le patient s'habitue tout aussi progressivement au traitement. Ce médicament est très mal toléré si on en prend d'emblée des doses fortes. Les symptômes de mauvaise tolérance (fatigue, nausées, impression de se sentir très mal, et toutes sortes d'autres sensations bizarres, troubles de la conscience qui peuvent, dans certains cas, aller jusqu'à la confusion mentale complète) deviennent, quand ils sont insupportables, la principale cause d'interruption du traitement. Une personne qui a connu ces symptômes voudra le plus souvent tout arrêter. On fait donc ce qu'il faut pour ne pas se trouver dans cette situation, car il s'agit d'une cause d'échec stupide. L'habituation progressive au baclofène permet de l'éviter. Mais cela peut aussi conduire à des excès de prudence.

Quand on voit un patient pour la première fois, on ignore quelle sera, pour lui, la dose efficace, et on ne connaît pas, par avance, sa tolérance vis-à-vis du traitement. L'expérience de quatre années de prescription a montré que ni l'âge, ni le sexe, ni la corpulence, ni l'ancienneté de l'alcoolisme, ni quoi que ce soit d'autre, ne permet de prévoir comment le patient va supporter le médicament. Beaucoup le tolèrent très bien, on peut alors progresser rapidement. Mais, par prudence, on pose le principe qu'avant de commencer, on ignore comment ce patient en particulier va réagir. Résultat : beaucoup trouvent que les choses ne vont pas assez vite. Ils s'impatientent, pressés d'atteindre l'état d'indifférence à l'alcool qu'ils souhaitent. Même s'ils savent que le traitement ne progresse que lentement parce qu'il y a de bonnes raisons, ils considèrent que cette prudence n'est ni utile ni nécessaire dès lors qu'il s'agit d'eux. Aussi vont-ils plus vite qu'indiqué dans le schéma de prescription ; souvent cela ne pose pas de problème, mais pas toujours. C'est pourquoi j'estime indispensable qu'on respecte le principe de prudence, même si la guérison de certains peut en être retardée.

Pendant la première consultation, j'explique donc au patient que la question des doses est primordiale, qu'elle demande beaucoup de sérieux et d'attention de sa part. Je lui dis que dans les recommandations officielles (les RCP que l'on trouve dans le « dictionnaire » des médicaments, le *Vidal*), il est indiqué que le traitement doit être souple et adapté à chaque cas, ce qui laisse beaucoup de marge. Je lui dis qu'il n'y a aucun moyen de deviner quelle sera, pour lui ou pour elle, la dose efficace ; ni de savoir si des effets indésirables se feront ou non sentir ; qu'il n'y a pas de protocole de prescription institutionnalisé et unique, accepté par tous, et que je lui en propose un que j'ai établi moi-même. Je lui donne un schéma de prescription dûment présenté sur une feuille de papier où les prises du médicament sont clairement spécifiées jour après jour dans un tableau, en lui demandant de le suivre aussi scrupuleusement que possible.

Quand j'en discute avec mes collègues, je m'aperçois que nous ne prescrivons pas tous de la même manière. J'ai moi-même beaucoup tâtonné et essayé plusieurs schémas de prescription. Depuis quelque temps, j'utilise le protocole suivant : augmentation d'un comprimé tous les trois jours (c'est assez simple, on arrive ainsi à un total de dix comprimés à la fin du premier mois). Je dis aussi toujours aux patients : « Dès qu'un effet survient et vous gêne, arrêtez d'augmenter la dose que vous prenez. Restez au palier où vous ne ressentiez pas d'effet indésirable, attendez quelques jours, même une semaine ou deux, puis augmentez de nouveau, mais plus lentement, d'un demi-comprimé toutes les semaines par exemple. » Ainsi : « Si vous êtes à six comprimés par jour et qu'en passant à sept vous vous apercevez que vous devenez trop somnolent ou que vous souffrez de confusion, redescendez à six et attendez quelque temps. Puis remontez à six et demi, attendez encore une semaine, et passez à sept par jour. » J'ai des collègues qui pensent que l'habituation doit se faire tout au long de la journée. Par exemple, au lieu de procéder comme je le fais (une dose trois fois par jour), ils donnent des prises plus faibles, mais plus nombreuses, tout au long de la journée, par exemple une dose toutes les deux heures ou toutes les trois heures, voire toutes les heures.

Le traitement est toujours difficile à gérer parce qu'il n'y a pas deux personnes qui réagissent de la même façon. Certains patients vont devenir confus et somnolents à deux comprimés par jour, et d'autres vont grimper allègrement jusqu'à quarante ou cinquante comprimés par jour sans le moindre effet indésirable. Le seuil de guérison est lui aussi imprévisible : certains vont de même être guéris à deux comprimés par jour et chez d'autres il faudra atteindre cinquante comprimés ou plus.

Comment le traitement s'adapte-t-il ensuite aux individus ?

Après l'initiation du traitement, je revois le patient au bout d'un mois, il est donc alors à dix comprimés par jour environ. À partir de cette deuxième consultation, je l'implique plus directement encore, je lui demande de participer activement à la gestion du traitement. Il faut par exemple cibler la prise des comprimés en fonction des horaires de prise d'alcool, qui diffèrent selon les individus. Pendant le premier mois, le traitement se prend matin, midi et soir, et le premier objectif est de tester la tolérance du patient au médicament. Si l'indifférence à l'alcool survient à moins de dix comprimés par jour (cela arrive dans environ 30 % des cas), on cesse évidemment la progression des doses. On reste alors au niveau qui s'est révélé être efficace, et on peut soit garder le schéma thérapeutique de trois prises (matin, midi et soir), soit cibler celles-ci plus précisément en fonction des horaires de boisson. Tous les buveurs ne boivent pas de la même façon : beaucoup consomment surtout le soir, un grand nombre à partir de midi et certains dès le petit déjeuner. Trois catégories de patients, donc : ceux qui boivent toute la journée, d'autres à partir de 12 heures et d'autres seulement le soir. Les prises et les doses doivent être adaptées aux habitudes de chacun.

Le baclofène a une durée de présence dans le corps (on appelle ça une « demi-vie » en pharmacologie) d'environ trois à quatre heures. Le pic de présence du médicament dans le corps dure jusqu'à la deuxième heure, ensuite cette présence diminue, l'efficacité aussi. Au bout de cinq heures, il ne reste pratiquement plus rien. Or il est clair que le baclofène protège de l'envie de boire quand il est présent dans l'organisme à des taux suffisants : c'est pourquoi la prise du médicament doit être ciblée en fonction des horaires de boisson. Pour ceux qui ne boivent que le soir, on donnera des doses minimales le matin et à midi (certains prescripteurs jugent qu'il est préférable d'en donner un petit peu pour maintenir une couverture de traitement toute la journée – mais cela se discute, tout le monde n'est pas de cet avis) et on les augmentera le soir, dans la demi-heure ou l'heure qui précède le moment habituel de boire. En revanche, ceux qui boivent dès le matin prendront des doses fortes dès le début de la journée.

À partir de la fin du premier mois, les patients participent donc à la gestion de leur traitement, en fonction de leurs horaires de prise d'alcool, mais aussi en fonction de ce qu'ils ressentent d'une part, et de leur activité professionnelle d'autre part. Par exemple, certains patients qui ne boivent que le soir se sentent rassurés de prendre le traitement trois fois par jour. D'autres qui travaillent pendant la journée et sont gênés par la somnolence qui suit la prise de baclofène préfèrent éviter de prendre leurs comprimés pendant leur temps de travail, même s'ils boivent un peu à midi : à ceux-là on conseille de prendre le traitement vers 17 ou 18 heures ; ils prennent alors leur traitement avant de quitter leur bureau, leur chantier ou leur usine, quand ils ont fini leur journée, ce qui leur évite de s'arrêter pour acheter de l'alcool sur le chemin du retour. C'est ce qu'ils faisaient tous les jours. Ils n'y pensent même plus dès lors qu'ils prennent leur traitement avant de rentrer chez eux.

Il faut aussi tenir compte des conditions psychologiques de la vie des patients et prévoir avec eux ce qu'ils doivent faire en cas de stress, prévu ou imprévu. Dans des circonstances normales, ils se sentent à l'abri de l'envie de boire grâce à la dose de baclofène qui leur est habituelle. Mais si survient un événement qui les stresse, ou dont ils savent qu'il va les stresser, il leur suffit d'augmenter les doses pour éviter le déclenchement du craving. Je conseille toujours aux patients de garder sur eux quelques comprimés pour faire face à une situation difficile, une tentation soudaine, un événement inopiné qui les pousserait à boire.

Pour compléter l'information des patients sur les doses et le mode de prescription, je précise que nous avons écrit, avec quelques collègues, un « Guide de prescription du baclofène dans le traitement des problèmes d'alcool », à l'usage des médecins, et que ce guide est accessible en ligne[15].

Le patient peut-il adapter les doses lui-même ?

D'autres médecins peuvent agir différemment, mais voici comment je procède. Après les quatre premières semaines sous baclofène, le patient doit, autant que possible, se sentir impliqué. Il doit participer personnellement à la conduite du traitement. L'augmentation des doses se poursuit jusqu'à ce qu'apparaisse l'indifférence à l'alcool. Le patient sait que, dès qu'il ressent cette indifférence, dès que le besoin de boire a disparu, il n'a plus besoin d'augmenter les doses. Il sait aussi que, pendant la période où les doses continuent de progresser, il ne lui est pas interdit de boire.

Les modifications d'organisation et de posologie sont ensuite une façon de responsabiliser encore le patient dans le traitement, de faire en sorte qu'il y prenne une part active, ce qui différencie beaucoup la prise de baclofène de celle d'autres médicaments. Quand vous prenez des antibiotiques pour guérir d'une infection, l'ordonnance vous précise par exemple : trois fois par jour, matin, midi et soir pendant cinq, six ou dix jours ; vous prenez les comprimés comme indiqué, sans réfléchir, sans vous poser de questions… C'est la règle pour presque tous les traitements. Pour le baclofène, on associe les patients à leur propre prise en charge. Au bout d'un mois, je leur demande de gérer eux-mêmes leur traitement et d'augmenter ou de diminuer les doses, ou encore de changer l'organisation des prises en fonction de ce qu'ils ressentent ou des horaires de prise d'alcool. C'est très important. Ils deviennent ainsi les artisans de leur libération, de cette victoire sur leur dépendance à l'alcool.

La maîtrise, par les patients eux-mêmes, de leur traitement peut, par ailleurs, prendre des aspects imprévus. Certains tiennent à continuer de boire, mais par moments seulement. J'ai ainsi plusieurs patients, hommes et femmes, qui s'accordent des « fenêtres thérapeutiques ». Ils décident d'arrêter le baclofène qui les a rendus abstinents pour une période de temps, courte le plus souvent. Ils se remettent alors à boire et à faire la fête pour une durée programmée d'avance, des week-ends ou une période de vacances par exemple. Ensuite, ils reprennent leur traitement et arrêtent de boire. Il faut peut-être insister sur le fait qu'il n'y a pas d'accoutumance, comme il y en a par exemple avec les benzodiazépines. Ce qui veut dire que le traitement a toujours la même efficacité, et quand on le reprend après une période d'arrêt l'effet est identique.

Même si le seuil d'efficacité est différent pour chacun, n'y a-t-il pas un dosage au-dessous duquel le médicament reste sans effet ?

On voit des choses étonnantes… Certains patients ont totalement arrêté de boire avec seulement deux comprimés par jour. En moyenne, sur plusieurs centaines de patients, j'ai cependant constaté que la dose efficace moyenne est d'environ quatorze comprimés par jour, ce qui veut dire qu'il y a autant de patients qui en prennent plus que de patients qui en prennent moins. Les cas extrêmes sont très rares, la majorité des malades sont guéris avec des doses qui vont de six à vingt comprimés par jour.

Mais il y a néanmoins des extrêmes. Un malade que j'ai soigné a dû monter jusqu'à quarante-cinq comprimés par jour ; vous rendez-vous compte ? Quarante-cinq comprimés par jour, c'est plus qu'une boîte pleine ! C'était pourtant la dose nécessaire pour qu'il guérisse. Car il a guéri. Un collègue, Jean-Pierre Daulouède, m'a raconté qu'une de ses patientes a dû monter jusqu'à soixante comprimés par jour pour devenir indifférente à l'alcool, et qu'elle continue à prendre quotidiennement cinquante-deux comprimés ; je précise que cette patiente est funambule dans un cirque, d'où l'intérêt tout à fait spécial du succès du traitement !

Je pense que ces exemples devraient être médités par les adversaires du baclofène, ceux qui agitent le chiffon rouge et effrayent régulièrement les médecins en prétendant que l'utilisation de hautes doses de baclofène est dangereuse. Personne ne réagit de la même manière au médicament. L'important est de procéder avec prudence, de respecter les protocoles de prescription, d'être attentif aux effets indésirables, et de prendre les mesures qui s'imposent si des effets indésirables surviennent : réduction de doses, paliers, délais à respecter avant une nouvelle augmentation, utilisation de demi-comprimés. Quand le traitement est bien toléré, il n'y a pas de limite supérieure de dose qui soit établie. Il faut savoir aussi que les effets indésirables ne surviennent parfois qu'à une dose donnée, et quand on arrive à dépasser cette dose (en faisant des paliers, en ralentissant l'augmentation des doses, en utilisant des demi-comprimés), les effets indésirables n'apparaissent généralement plus aux doses plus élevées. C'est important à savoir.

Mais il se passe parfois des choses bizarres… Par exemple, j'ai vu des patients parvenir à des doses très élevées, supérieures à trente comprimés par jour, sans qu'aucun effet sur la prise d'alcool n'apparaisse. Et puis l'indifférence à l'alcool est survenue quand ils ont diminué les doses, autour de dix ou quinze comprimés par jour par exemple. C'est incompréhensible. Des collègues m'ont raconté la même chose.

Y a-t-il une limite supérieure à ne pas dépasser d'une part, et, d'autre part, un danger de surdosage ?

Personne ne peut répondre à la question de limite supérieure. C'est une inconnue du traitement. Le surdosage, quand il y en a un, est dû à une mauvaise observance du schéma thérapeutique. Si on suit le protocole, il ne peut pas y avoir de surdosage.

Les patients manifestent une tolérance au médicament qui diffère selon les individus puisqu'on a vu l'un d'eux monter jusqu'à 600 milligrammes par jour (soixante comprimés), pratiquement sans ressentir d'effets secondaires.

Tous les patients ne supporteraient pas cette dose, c'est certain.

Quand l'habituation se fait dans de bonnes conditions, quand l'organisme s'accoutume doucement à des doses lentement croissantes, jusqu'où peut-on aller ? On l'ignore. Tant que les patients supportent bien le baclofène, ils peuvent augmenter les doses, il n'existe pas de limite supérieure établie. Mais on constate des différences interindividuelles évidentes. J'ai vu des patients qui ont suivi scrupuleusement le protocole et n'ont pas pu dépasser trois ou quatre comprimés par jour. Et même des patients qui n'ont pas toléré un seul comprimé par jour (ce qu'on peut appeler une intolérance au baclofène). Mais pour les patients qui n'ont pas supporté quatre comprimés, faut-il parler d'intolérance ? Certainement pas, intolérance n'est pas le mot qui convient puisque, s'ils ne supportent pas quatre comprimés, ils en supportent trois. Il est clair que chaque personne a un seuil d'acceptation différent.

Tant que l'indifférence n'est pas obtenue, la question importante qui se pose pour chaque patient est de savoir si on peut aller au-delà du seuil apparent d'intolérance en prenant son temps, en faisant des paliers, en coupant les comprimés en deux ou même en quatre. Il faut essayer de trouver, autant que possible, le moyen de dépasser un seuil qui paraît sur le moment indépassable alors que le patient n'est pas encore arrivé à la dose qui le rend indifférent à l'alcool. Souvent, chez les patients qui disent mal tolérer le baclofène, la question se pose de l'authenticité de leur envie d'arrêter de boire. J'en ai vu plusieurs attribuer une importance exagérée à des effets secondaires relativement bénins, souvent associée à une façon de prendre le traitement anarchique, et il était clair que c'était pour eux une manière d'éviter de faire progresser les doses : un prétexte pour ne pas arrêter de boire.

Quand un malade atteint plus de 300 ou 350 milligrammes par jour (de trente à trente-cinq comprimés) et qu'il n'est toujours pas indifférent à l'alcool, le médecin peut hésiter sur la marche à suivre. Ce n'est pas très compliqué quand le patient tolère bien le traitement : il n'y a qu'à augmenter les doses en exerçant une surveillance attentive. Quand les patients ne supportent pas les fortes doses et que les symptômes d'intolérance qu'ils présentent n'incitent guère à poursuivre, la situation devient plus difficile. Par exemple, j'ai eu un patient qui a commencé à avoir des hallucinations auditives à 400 milligrammes ; je lui ai demandé de diminuer lentement le baclofène, ce qu'il a fait, et les hallucinations ont disparu. Nous avons repris un rythme d'accroissement très lent, les hallucinations ne sont pas revenues, et il a fini par arrêter de boire.

J'ai soigné quelques patients qui ont porté les doses qu'ils prenaient à des niveaux très élevés, comme s'il s'agissait d'un jeu, ou pour se montrer plus forts que les autres, ou pour tester leur tolérance au produit. Il faut savoir que l'on a parfois affaire à des polytoxicomanes. Mais je n'ai jamais constaté d'événements graves à des doses élevées qui me conduiraient à refuser d'augmenter les doses au-delà de 400 milligrammes. Tout se situe dans la tolérance au traitement, et dans les stratégies d'augmentation lente et progressive des doses, pour permettre aux patients de les supporter. Par ailleurs, je n'ai jamais constaté de toxicomanie au baclofène, à l'exception de deux patients qui représentaient des cas très particuliers : ils abusaient systématiquement de tous les psychotropes qui leur passaient à portée de main.

Une autre situation, bien différente, est celle où les patients ressentent l'effet suppresseur du baclofène sur le craving, mais persistent néanmoins à boire : leurs habitudes sont si ritualisées qu'ils continuent de s'alcooliser sans en avoir véritablement envie ; certains, paradoxalement, transforment le traitement en défi devant lequel ils ne céderont pas, donnent l'impression qu'ils veulent lutter contre son efficacité (un patient m'a dit un jour avec fierté : « Je suis plus fort que le baclofène ! ») ; on voit aussi des patients extrêmement instables sur le plan émotionnel, de grands anxieux qui à l'occasion d'un stress en apparence mineur font des crises aiguës d'angoisse et se jettent sur la bouteille pour calmer leur anxiété. C'est, chez eux, un réflexe ; j'ai eu quelques patients qui se conduisaient de la sorte et ils m'ont donné l'impression que, quelle que soit la dose de baclofène, ils ne cesseraient jamais de boire. Mais pour ceux-là aussi il faut prendre son temps, continuer le traitement, attendre qu'ils prennent vraiment la décision d'arrêter et en finissent avec leurs rituels. C'est chez ce type de patients que les psychothérapies sont indiquées.

L'accès au stade où le patient n'a plus envie de boire peut prendre des mois. Quand l'attente se prolonge, la difficulté pour le médecin est de savoir s'il doit continuer d'augmenter les doses ou non. Comment deviner si le patient boit encore parce que la dose efficace n'a pas été atteinte ou s'il le fait en raison d'une habitude si ancrée qu'elle ne le lâche pas ? J'ai eu des patients qui ont mis plus de deux ans et demi avant d'arrêter, ce qui montre qu'il ne faut jamais se décourager. Dans ces cas, les thérapies cognitivo-comportementales sont utiles. J'ai même constaté leur grande efficacité. Il faut amener le buveur à se rendre compte que son attitude vis-à-vis de l'alcool est irrationnelle et le conduire progressivement à changer ses schémas comportementaux.

Il arrive aussi que les patients ne prennent pas leur traitement correctement. C'est plus fréquent qu'on ne le croit. Il peut s'agir de malades qui souffrent de troubles cognitifs, ou bien dont la vie quotidienne est mal organisée, les horaires mal réglés, des patients distraits en permanence. Ceux-là prennent leur traitement d'une façon irrégulière, mais sans véritable intention d'oublier ou de se tromper dans les prises ; d'autres, plus ou moins volontairement, ne respectent pas les contraintes. Une conduite banale chez ceux qui présentent des troubles mentaux, les psychiatres le savent bien. Ces malades se méfient ou doutent de la nécessité des traitements en général, et comme leur mode d'existence est, en plus, souvent désorganisé, ce sont eux qui rencontrent le plus de difficultés : oublis répétés pendant quelque temps, qu'ils compensent par l'absorption brutale, en une fois, d'une quantité excessive de comprimés. C'est alors que les effets les plus indésirables du baclofène peuvent se manifester. Avec ces malades, là encore, il faut de la patience.

Enfin, les cas atypiques : il existe peut-être des personnes insensibles aux effets suppresseurs du craving du baclofène. Certains patients affirment : « Votre médicament ne me fait rien » ; on peut toujours se poser la question d'un déni, les patients ressentant une diminution de leur craving mais ne pouvant ou ne voulant pas l'admettre ; la raison la plus vraisemblable est que les patients « insensibles », souvent gênés par des effets indésirables, n'ont pas augmenté suffisamment les doses ; mais il n'est pas exclu que certains d'entre eux soient réellement insensibles au baclofène. La question reste posée, je ne connais pas la réponse.

Pour être complet, je dois également signaler que j'ai personnellement observé deux patients chez lesquels le baclofène n'a pas diminué l'envie de boire, mais l'a, au contraire, augmentée. Chez l'un d'eux, l'effet a été transitoire, augmentation de l'envie de boire en début de traitement, puis diminution du craving à doses plus élevées.

Les effets indésirables sont-ils inévitables ?

Ils risquent de prendre une grande importance, car ils peuvent compromettre le traitement. Mais ils sont extrêmement variables d'un patient à l'autre. Certains patients n'en ont aucun (entre 5 et 10 % des patients). Chez d'autres, ces effets sont très minimes, pratiquement négligeables (se résumant à une somnolence en début de traitement). Pour la majorité des patients, ils peuvent se révéler gênants, voire très gênants. Certains symptômes deviennent si pénibles que les patients préfèrent tout arrêter. Il faut néanmoins insister sur le fait que ces troubles sont en règle générale transitoires, ils vont disparaître complètement au bout de quelques semaines, parfois de quelques mois. J'insiste aussi sur le fait que ces événements indésirables sont toujours bénins, ils n'ont aucune gravité, même quand ils sont très pénibles à supporter. Et que beaucoup d'effets secondaires relèvent d'un traitement symptomatique, un somnifère par exemple pour les personnes qui souffrent d'insomnies provoquées par le baclofène. J'ai déjà indiqué les effets indésirables qui peuvent accompagner l'augmentation des doses administrées*.

Connaît-on des cas où la prise du médicament a mis des patients en danger ?

Les médecins prescrivent du baclofène depuis près de quarante ans. C'est donc un médicament extrêmement bien connu avec lequel on ne peut avoir aucune surprise. Il produit très peu d'accidents sérieux. Des tentatives de

---

* Pour plus de précisions, voir Annexe 3, « Les effets indésirables du baclofène », p. 179.

suicide médicamenteuses utilisant le baclofène ont été rapportées dans la littérature médicale, les prises allant jusqu'à 2 grammes de baclofène, soit deux cents comprimés : il semblerait qu'elles n'aient jamais entraîné de décès ; dans certains cas cependant, la mort par dépression respiratoire n'a pu être évitée que parce que les patients ont été traités en service de réanimation. En 2009, un rapport demandé par l'Affsaps a été rendu public : « Cas d'exposition au baclofène : données des centres antipoison et de toxicovigilance, 2003-2007 ». Ce rapport recense 95 cas d'effets indésirables graves dus au baclofène prescrit en monothérapie, et 196 cas (pour plusieurs centaines de milliers de personnes traitées) où le baclofène est associé à un autre médicament ayant une action sur le système nerveux central. Les circonstances dans lesquelles sont survenus ces effets indésirables sont dans la majorité des cas des erreurs de prescription ou de prise du médicament (non-respect de la progression posologique). Et les accidents ne sont pas survenus à des doses particulièrement élevées. L'analyse des effets indésirables montre que le baclofène en monothérapie est surtout responsable de comas (6 cas), de convulsions (5 cas) et de complications cardio-respiratoires (3 cas). Aucun décès n'a été rapporté.

Ce que l'on doit retenir de ce rapport est principalement qu'il faut être très vigilant dans la surveillance médicale que j'ai déjà décrite, et procéder à l'arrêt de l'augmentation des doses si les événements indésirables sont mal tolérés. Cela devrait permettre d'éviter les accidents graves – au demeurant bien rares. En dehors des intoxications volontaires et des prescriptions mal conduites, le baclofène est un médicament parfaitement inoffensif.

Mais il est évident, aussi, qu'il peut mettre indirectement des patients en danger du fait de ses effets secondaires. On a parlé de la conduite automobile. Autre exemple : un adversaire du baclofène que je ne nommerai pas, mais qui est l'un des alcoologues français les plus médiatiques, a plusieurs fois déclaré sur les ondes qu'il avait constaté des cas de fractures sous baclofène. L'auditeur peu averti retenait, en gros, que tous les patients sous baclofène se fracturaient nécessairement quelque chose. Si ce qu'il relate s'est réellement passé, la raison en est toute simple : la montée progressive des doses n'avait pas été faite correctement, et les patients avaient été mal surveillés.

Il n'est pas exclu qu'une formation des médecins à la prescription de baclofène soit indispensable. Sans aller jusqu'à l'encadrer strictement (comme c'est le cas pour certains médicaments, du fait de la dangerosité potentielle de leurs effets secondaires), nos autorités sanitaires peuvent faire circuler un message de prudence dans la prescription de baclofène et inciter les médecins à se former. On soulignerait l'importance d'une augmentation lente et progressive des doses, avec une incitation à utiliser un support papier pour noter les prises, l'interdiction de conduire pendant les premiers temps de traitement et l'interdiction de prendre brutalement des doses supérieures à celles du schéma thérapeutique. Et on soulignerait l'importance de l'information du patient, de son implication personnelle dans la conduite du traitement, et de l'alliance thérapeutique avec le médecin prescripteur. Certaines associations (dont on parlera plus loin) ont commencé à mettre en place des programmes de formation pour les médecins, fondés sur ces principes.

Comment se passe, chez le patient alcoolique, la disparition de la dépendance ?

Le délai nécessaire à l'installation de l'indifférence à l'alcool est à mettre en parallèle avec celle de la progression des doses. Comme je l'ai déjà dit, chez certains patients, le seuil (c'est-à-dire la dose qui se révèle être efficace) se situe très bas, par exemple 20 ou 30 milligrammes par jour. Ils arrêtent de boire dès la première semaine de traitement. Chez d'autres, la dose efficace dépasse 400 milligrammes par jour, et il faut plusieurs mois pour atteindre ce niveau. Le délai varie au cas par cas.

L'effet anticraving ou l'indifférence propre au baclofène survient, chez certains, de façon subite, à une dose donnée ; chez d'autres, elle apparaît d'une façon plus progressive. Il y a des patients qui me disent : « Docteur, je vois que ça commence, j'ai moins envie de boire, mais l'envie n'a pas disparu. » Quand les doses augmentent, cette envie s'atténue, et finit par disparaître tout à fait. Comme je l'ai dit précédemment cependant, l'indifférence ne s'accompagne pas toujours de l'arrêt de l'alcool. Un certain nombre de patients deviennent peu ou pas intéressés par l'alcool, mais continuent de boire par habitude. Dans ces cas-là, le processus prend plus de temps, et il est certainement utile de les aider. Des mois ou des années de travail psychologique, associé au baclofène, peuvent alors être nécessaires.

Le délai pour faire disparaître la dépendance peut donc varier de quelques jours à quelques années ! Olivier Ameisen a décrit dans son livre le jour magique où il a senti qu'il avait atteint la dose qui était efficace pour lui. Du jour au lendemain, cette indifférence, qu'il a été le premier à décrire, s'est imposée à lui alors même qu'il avait, la veille encore, une très forte appétence pour l'alcool. Son témoignage fait figure d'image d'Épinal, ce seuil magique qu'il faut atteindre pour être délivré. J'imagine un tableau fait par un peintre de talent qui représenterait Olivier Ameisen, sobre et serein dans un bar à vins, le visage heureux, un tableau intitulé *Olivier Ameisen délivré de l'alcool*, comme Pinel délivrant les enchaînés de Bicêtre. Les choses se passent parfois comme pour lui, et même souvent, mais pas toujours.

Peut-on redouter que le baclofène devienne une drogue de substitution, comme par exemple la méthadone pour les héroïnomanes ?

Non, le baclofène n'est pas une drogue de substitution. Ce n'est d'ailleurs pas une drogue du tout, la meilleure preuve étant que, parmi les centaines de patients que j'ai soignés, aucun n'a utilisé le baclofène comme les drogués utilisent leur drogue (c'est-à-dire qu'aucun patient n'a ressenti le besoin d'augmenter les doses, ou s'est senti dépendant du baclofène, avec une difficulté à diminuer les doses). Je ne connais que deux cas limites que j'ai déjà signalés : ces patients qui surconsommaient tous les psychotropes qui leur tombaient sous la main, deux cas dont je ne pense pas qu'ils indiquent une dépendance spécifique au baclofène. Il n'existe, dans la littérature médicale, aucune mention de ce type de dépendance, et je considère qu'il est inexact de dire que les patients ne peuvent pas s'en passer.

L'idée que prendre du baclofène pour traiter l'alcoolisme consisterait à substituer une dépendance à une autre est une idée fausse qui a été diffusée par des personnes ignorantes ou malveillantes – celles que je regroupe sous le nom d'« adversaires du baclofène ». Ce médicament, tel qu'on l'utilise dans le traitement de l'alcoolisme, est destiné à être arrêté à un moment ou à un autre. L'idée qu'il s'agit d'un traitement à vie est aussi fausse que l'accusation de drogue.

La durée du traitement est néanmoins une des questions que les patients posent très souvent, et elle est légitime. Ils se demandent – et me demandent – s'ils devront prendre du baclofène toute leur vie. La réponse est non. Je leur précise : « Le baclofène est un traitement que vous arrêterez quand vous ne penserez plus à l'alcool. » Mais la dépendance psychologique à la boisson joue certainement un rôle en la matière et on sait que chaque nouvelle prise d'alcool la renforce. Si en supprimant le craving pour l'alcool, le baclofène élimine ce renforcement, la mémoire inconsciente de l'alcool ne disparaît pas pour autant, elle va longtemps persister ; ce n'est qu'avec le temps qu'elle va s'émousser jusqu'à s'effacer complètement, comme toute mémoire qui n'est plus utilisée. Cette lente disparition prend un temps variable, de quelques mois à plusieurs années, peut-être des dizaines d'années, on ne le sait pas encore, on n'a pas de recul suffisant pour le dire. Et le temps que cela prend varie d'un individu à un autre.

Mon expérience montre que sur 100 patients dépendants à l'alcool suivis pendant deux ans, 50 ne boivent plus du tout avec deux ans de recul et, parmi eux, 10 ont arrêté le baclofène sans rechuter. On peut dire que chez ces 10 patients, l'idée de l'alcool, la mémoire inconsciente du désir d'en absorber, s'est éteinte. Autrement dit, pour 20 % des patients (10 sur 50) le baclofène peut être arrêté au bout de deux ans. Reste à savoir ce qu'il en sera pour les 40 patients restants. Il est à mon avis peu vraisemblable qu'ils soient obligés de prendre le traitement leur vie durant.

Le baclofène ne crée pas de dépendance, mais il représente tout de même une contrainte (prendre tous les jours des comprimés, souvent en très grand nombre), et tous les patients ont à l'idée qu'un jour ils arrêteront le traitement. Or on ne doit jamais l'arrêter brutalement, mais procéder par étapes successives, tout comme on l'a commencé de façon progressive. Après quelques mois de traitement et de sobriété, la quasi-totalité des patients

diminuent les prises avec le souhait d'arrêter graduelle-
ment. C'est d'ailleurs ce que leur conseille leur médecin.

La suite des événements n'est pas la même pour tous.
Dans la majorité des cas, l'envie de boire réapparaît
quand le patient passe au-dessous d'un certain seuil. En
d'autres termes, l'envie de boire est toujours présente,
mais une plus faible dose du médicament suffira à la
contrôler. Dans un petit nombre de cas, l'envie de boire
ne revient pas, ce qui signifie que l'idée de l'alcool – la
dépendance psychologique – a disparu. Cette disparition,
cependant, peut être fragile, une rechute est toujours possible. Le traitement doit alors être repris. Je peux signaler
aussi que plusieurs de mes patients continuent à prendre
une petite dose quotidienne de baclofène alors qu'ils n'en
ont manifestement plus besoin ; mais ils ont une telle
peur de rechuter, le souvenir de leur vie d'alcoolique leur
est tellement insupportable, qu'ils sont attachés au traitement, accrochés à lui, d'une façon quasi mystique.

On rencontre aussi quelques cas où, après l'arrêt du
baclofène, l'envie de boire ne revient pas, mais des symptômes qui préexistaient au traitement réapparaissent :
angoisse, malaise, sensation de mal-être. Dans ces cas-là,
certains patients continuent à prendre une petite dose de
baclofène, non pas pour traiter leur alcoolisme, mais
pour traiter leur mal-être. Le médicament a souvent un
effet anxiolytique, psychostimulant, produisant une sensation de bien-être et de sérénité. Il arrive que ces effets
bénéfiques disparaissent à la diminution ou à l'arrêt du
traitement, et que les patients choisissent de le continuer

pour calmer leur anxiété. La question se pose de savoir si les effets anxiolytiques, et producteurs de bien-être, sont liés ou non à l'effet anticraving. Certains, comme Ameisen (c'est ce qu'il explique dans son livre), suggèrent que c'est le cas et que l'effet anticraving du baclofène est, au moins en partie, lié à son effet anxiolytique. C'est possible, mais, selon moi, cela n'est pas vrai pour tous les malades traités. J'ai en effet observé des patients chez lesquels le baclofène produit un effet anticraving sans action anxiolytique. J'ai même vu des patients chez qui le baclofène augmente l'anxiété tout en ayant un effet anticraving. Comme il existe diverses formes d'anxiété, les liens entre anxiété et effets anticraving du baclofène nécessiteraient des recherches complémentaires.

Sur le plan de la recherche, justement, la question théorique de savoir si le baclofène est, ou pourrait être, une drogue de substitution est passionnante. La réponse est simple, c'est non, du moins à première vue. Une molécule de substitution agit sur les mêmes récepteurs cérébraux que ceux sur lesquels se fixe la drogue. Les drogues de type opiacés (opium, héroïne) agissent ainsi sur des récepteurs aux opiacés, tout comme les traitements de substitution aux opiacés (méthadone, buprénorphine). La dépendance à la nicotine opère d'une façon similaire : les substituts du tabac se fixent sur les mêmes récepteurs. Rien de tel avec le baclofène et l'alcool. Ce dernier agit sur de nombreux récepteurs, mais pas sur celui qui fixe le baclofène : celui-ci agit sur le récepteur GABA-B, alors que ce n'est pas le cas pour l'alcool.

Les choses cependant ne sont pas aussi simples. Il est possible que le traitement par le baclofène soit une forme de traitement de substitution, mais qui emprunterait des voies complexes, indirectes. De plus, la notion de substitution demande à être redéfinie. Certains chercheurs estiment que pour obtenir un effet de substitution, il n'est pas indispensable qu'une molécule agisse sur le même récepteur que la molécule qui crée la dépendance. Pour ce qui est du baclofène et l'alcoolisme, je renvoie le lecteur à un article paru récemment où les auteurs abordent cette question de façon détaillée, et cherchent à redéfinir la notion de substitution[16]. On trouvera par ailleurs dans les annexes à la fin du livre des précisions sur la biologie du mode d'action du baclofène et un examen de l'hypothèse de la substitution*. Celle-ci reste une question ouverte. Mais il paraît clair que le baclofène ne substitue pas une dépendance à une autre puisque des patients cessent d'en prendre sans éprouver le besoin d'y revenir.

Que se passe-t-il si on oublie de prendre son traitement ?

À tous points de vue, l'éducation du patient est indispensable, elle le responsabilise et soude ce que l'on appelle l'alliance thérapeutique entre le médecin et le malade. Certaines informations doivent être bien comprises : le

---

* Voir Annexe 4, « Ce qu'on sait de l'action du baclofène sur le cerveau », p. 185.

baclofène « protège » contre l'envie de boire pendant trois à cinq heures après la prise du médicament, et le non-respect de l'augmentation progressive des doses, en particulier la prise brutale de plusieurs comprimés alors que l'habituation n'est pas encore suffisante, expose à des effets indésirables difficiles à gérer. Mais l'oubli d'une prise occasionnelle du traitement au cours de la journée n'a pas de forte incidence sinon un retour de l'envie de boire. Et celle-ci ne survient pas inévitablement. Le nombre de prises quotidiennes de comprimés a été mis en place par le médecin traitant en accord avec le patient en fonction de nombreux paramètres (intérêt ou non d'une imprégnation continue, horaires des prises d'alcool, activité professionnelle, etc.). Le fractionnement varie : parfois trois prises par jour, parfois deux ou quatre, ou bien encore une prise toutes les deux heures, parfois même une seule prise dans l'heure qui précède les habitudes d'alcoolisation quand les patients ne boivent que le soir. Il faut chercher en tâtonnant ce qui, pour chacun, est le plus adapté. Le fractionnement des comprimés n'est en général pas utile, sauf en tout début de traitement, pour tester la tolérance du patient. Si des patients oublient une prise, mais qu'ils n'éprouvent pas la tentation de boire pendant les heures qui suivent, ce n'est pas un problème. Et s'ils oublient une prise, qu'ils ont envie de boire et le font éventuellement, ils apprennent à se corriger dans les heures qui suivent. Ils n'oublieront sans doute pas la fois suivante. S'ils ne cherchent pas à corriger une défaillance, c'est qu'ils n'ont pas vraiment l'intention de cesser de boire.

Que se passe-t-il en cas d'arrêt brusque, volontaire ou involontaire, du traitement ?

C'est plus que déconseillé, et même interdit ! Cela figure dans le formulaire d'information et de consentement que les patients lisent et signent, c'est même à la première ligne des précautions d'emploi ! Il est clairement et explicitement écrit qu'il ne faut jamais interrompre brutalement un traitement, surtout s'il s'agit de doses élevées. Chacun doit être prêt à faire face à l'imprévu. Je le dis aux patients : « S'il vous arrive de ne pas prendre le médicament malgré vous, par exemple si vous avez un accident sur la voie publique et qu'on vous conduise aux urgences, dites au médecin urgentiste que vous prenez du baclofène et que vous ne devez surtout pas l'arrêter ; un traitement par le baclofène commence progressivement et s'arrête progressivement. » Éventuellement, on peut conseiller aux patients de garder toujours leur ordonnance sur eux.

La dose quotidienne entre aussi en ligne de compte, un peu comme pour l'alcool : quand on boit trois verres par jour ou même cinq ou six verres, si on arrête brusquement, ce n'est pas très grave. Mais s'il s'agit de plusieurs bouteilles ingérées quotidiennement et qu'on cesse brutalement de boire, de gros troubles dus au sevrage brutal sont probables : on risque un delirium tremens.

Un arrêt brutal du baclofène, pour ceux qui en prennent des doses élevées, peut avoir pour conséquence des hallucinations, des délires, une confusion mentale et des crises d'épilepsie (c'est-à-dire des symptômes qui ressemblent à un delirium tremens).

Quand on doit subir une intervention chirurgicale, il y a une marche à suivre. Certains patients hésitent à dire au chirurgien et à l'anesthésiste qu'ils prennent du baclofène. Certains préfèrent même arrêter le traitement plutôt que d'« avouer » qu'ils le suivent. Ce n'est évidemment pas ce qu'il faut faire, car : 1. prendre du baclofène ne pose aucun problème pour une opération chirurgicale ; 2. les anesthésistes connaissent bien la question, et si le patient prend de fortes doses de baclofène (ce qui peut avoir des conséquences respiratoires et cardio-vasculaires), on lui demandera éventuellement de les diminuer dans les jours qui précèdent l'intervention, sans pour autant arrêter le traitement ; 3. il se peut que le chirurgien soit moins compréhensif (par ignorance), mais il faut savoir que la question des médicaments que prend le malade concerne l'anesthésiste et pas le chirurgien ; 4. quand les patients restent hospitalisés quelques jours, il arrive que le service d'hospitalisation refuse de leur donner le baclofène qu'ils prennent habituellement : pour faire face à cette éventualité, je conseille aux patients de prendre avec eux du baclofène, ou de s'en faire apporter par leur famille, de continuer ou de reprendre leur traitement en prenant soin d'en informer le chirurgien ou l'anesthésiste. Il ne faut pas cacher que l'on prend le médicament : il n'y a aucune honte à cela, au contraire.

Que dire de l'automédication telle que la pratiquent les malades qui cherchent à se soigner en s'aidant d'Internet ?

L'automédication ne devrait pas exister. Elle a cours seulement parce que les médecins sont encore une majorité à se montrer réticents à prescrire le traitement. Quand un malade, qui n'en peut plus de sa dépendance, apprend par les médias ou sur Internet qu'il existe un médicament qui guérit de l'alcoolisme, il en demande naturellement à son médecin traitant. Si celui-ci refuse d'en prescrire, il lui reste la possibilité de s'en procurer par lui-même.

Il arrive aussi que le prescripteur de baclofène qu'on lui a indiqué soit trop éloigné de chez lui, ou que le délai d'attente pour obtenir un rendez-vous soit trop long. Comme il n'est pas difficile de se procurer du baclofène, certains n'hésitent pas à le faire ; dans nombre de pays, on trouve le médicament en vente libre (en Andorre, par exemple), et on peut le commander en ligne.

Les patients qui s'automédiquent ont souvent du mal à suivre un schéma thérapeutique adapté, ils souffrent d'effets secondaires, et rapidement cherchent un médecin prescripteur pour être guidés. J'ai ainsi plusieurs patients qui, au départ, se sont automédiqués. Certains sont même assez fiers d'avoir réussi à se débrouiller seuls. Mais ils ont ensuite préféré être suivis. Dans l'ensemble, je crois que l'automédication est en diminution du fait de l'augmentation du nombre de prescripteurs.

Pour ce qui est de la qualité du baclofène accessible sur Internet, je me suis bien entendu posé des questions (on sait que les médicaments en vente libre sur Internet sont parfois de mauvaise qualité). Un de mes patients a fait analyser par un laboratoire spécialisé des comprimés achetés en ligne. Résultat : un bon produit, du pur baclofène. Cela ne veut pas dire que ce soit toujours le cas, aussi je déconseille fortement ce mode d'approvisionnement.

Quand le traitement réussit, faut-il s'attendre à des change-ments visibles tels qu'une prise de poids comme c'est souvent le cas quand on arrête de fumer ?

Il faut y être attentif, comme on doit l'être à tout changement dans la prise de tabac (près des trois quarts des personnes que je soigne fument, et le baclofène ne semble pas avoir pour conséquence d'en réduire la consommation). Je demande toujours aux patients combien ils pèsent, je calcule leur indice de masse corpo-relle, et je suis l'évolution de leur poids. Globalement, ils en perdent plutôt. L'arrêt de l'alcool est certainement impliqué dans cet effet, car l'alcool est bourré de sucre. Certains auteurs signalent même des effets antiobésité du baclofène[17]. Cependant, d'autres personnes prennent du poids après avoir arrêté de boire, comme le font celles qui arrêtent de fumer. Mais le mécanisme à l'œuvre est certainement très différent de ce qui se passe avec la cigarette (qui est un activateur du métabolisme, et fait perdre du poids en augmentant les pertes d'énergie : c'est ce qui explique qu'on grossit quand on arrête de fumer). Dans le cas de l'alcool et du baclofène, on ne sait pas très bien ce qui provoque cette prise de poids. Il est possible que certains buveurs souffraient de dépression avant de commencer le traitement, et même qu'ils buvaient parce qu'ils étaient gravement déprimés. La dépression est, par excellence, une maladie qui fait maigrir, car le plus souvent, on mange peu. Les alcooliques déprimés qui guérissent avec le baclofène constatent, en règle générale, une atténuation, parfois même la guérison, de leur dépression, éventuellement du fait de l'arrêt de leur dépendance à l'alcool ; ils reprennent alors du poids parce qu'ils mangent mieux.

Mais d'autres mécanismes entrent possiblement en jeu. Des patients par exemple, chez qui le traitement a réussi ont peut-être remplacé l'alcool par un peu de boulimie. Cela dit, la prise de poids chez les patients qui ont arrêté de boire n'est pas fréquente.

Prescription et suivi : l'impératif de la lenteur

L'arrêt de la dépendance a d'autres effets, notamment sur le cerveau…

Le cerveau a une grande plasticité, ce qui signifie que, quand il est lésé, il peut se régénérer à la condition que les lésions ne soient pas trop étendues, autrement dit irréversibles. Quand l'alcool cesse de s'attaquer à lui, des mécanismes compensatoires se mettent en place et on assiste à des régénérescences neuronales, car le cerveau produit en permanence de nouveaux neurones et leurs prolongements (des arbres dendritiques). On sait que l'alcool est très toxique pour les neurones, qu'il les détruit, c'est bien montré par imagerie cérébrale : même chez des personnes qui pensent ne souffrir que d'un alcoolisme modéré, l'imagerie de leur cerveau fait apparaître de vastes régions ravagées par l'alcool. Le malade ne s'en aperçoit souvent pas, mais, quand on étudie en profondeur son état sur le plan cognitif, on s'aperçoit que l'alcoolique qui affirme ne rencontrer aucun problème cognitif en connaît en réalité beaucoup. Les régions les plus touchées par l'alcool sont les plus plastiques, en particulier le cortex et l'hippocampe qui sont impliqués dans la mémoire, les fonctions cognitives et le contrôle des impulsions. Des études d'imagerie cérébrale ont montré que les malades qui rechutent ont des lésions cérébrales plus étendues que ceux qui ne rechutent pas.

Des études ont aussi montré que l'abstinence chez les alcooliques est associée à une régénérescence progressive de la substance grise (neurones), avec des volumes des régions lésées qui tendent à revenir à la normale[18]. De telles études restent à faire chez les patients traités par le baclofène. Mais quand la consommation chronique d'alcool a détruit certains faisceaux de substance blanche (qui connectent les différentes parties du cerveau entre elles), les lésions et les déficits cognitifs peuvent être définitifs.

Le foie et le pancréas réagissent-ils également à l'arrêt de l'alcoolisation ?

On sait moins bien ce qui se passe au niveau du pancréas, bien qu'il présente lui aussi une certaine plasticité. Pour le foie, on sait que les intoxications chroniques par l'alcool conduisent d'abord à une souffrance qui se traduit par des fibroses, ensuite par une cirrhose et ensuite (ou simultanément) par des cancers. L'alcool donne là des lésions irréversibles. Quand on parvient à arrêter l'intoxication dans le foie, même si celui-ci ne se répare pas vraiment on peut arrêter l'évolution vers l'insuffisance hépatique. Le foie est un gros organe, et avant de le détruire complètement il faut beaucoup de temps. Quand on arrête l'alcool suffisamment tôt, les fonctions hépatiques ne se récupèrent pas trop mal. Mais ce n'est pas le cas de certaines lésions des nerfs périphériques (on parle aussi de polynévrites alcooliques) qui, elles, ne sont pas récupérables. On voit souvent des alcooliques qui ont du mal à marcher, parce que l'alcool leur a détruit l'innervation des jambes. Il s'agit d'une source de douleur et de semi-paralysie sur laquelle il est difficile de revenir.

Le traitement peut-il échouer ?

Les échecs sont moins nombreux que les succès, heureusement. Mais aujourd'hui ce sont peut-être eux qui m'intéressent le plus.

L'analyse des cas des 100 premiers patients dépendants à l'alcool que j'ai personnellement suivis montre, je l'ai dit, qu'après deux ans de recul, 50 % d'entre eux ne boivent plus. Restent les autres.

J'ai divisé mes échecs en deux groupes : les patients qui ont significativement diminué leur consommation d'alcool, d'une part ; ceux chez qui le traitement n'a eu aucun effet ou qui ont rechuté après une amélioration qui a duré un certain temps, d'autre part.

Ceux qui ont significativement diminué leur consommation d'alcool sont des patients qui ont très clairement ressenti les effets suppresseurs du baclofène sur le craving, mais qui ont été incapables d'arrêter complètement de boire. Il est intéressant d'essayer de comprendre les raisons de ce que j'appelle des demi-succès (ou demi-échecs). On ne peut pas parler d'échec proprement dit, parce que ces patients ont aussi considérablement diminué leur consommation d'alcool, en général de plus de 50 %, souvent jusqu'à 80 %, même s'ils ne sont pas parvenus à une véritable abstinence/indifférence. Dans beaucoup d'essais thérapeutiques, on les considérerait d'ailleurs comme des succès (par exemple, dans les études testant les effets des antagonistes des opiacés, où est prise en compte la simple diminution de la prise d'alcool et pas l'arrêt de la consommation), mais je préfère essayer de comprendre pourquoi la réussite chez eux n'a pas été complète.

Plusieurs raisons peuvent l'expliquer :

1. Les patients restent prisonniers de la ritualisation de leurs habitudes de boisson, ils boivent compulsivement sans véritable craving. On pourrait dire qu'ils boivent sans soif, qu'il y a dissociation entre la compulsion et le craving, c'est assez fréquent ;

2. L'effet suppresseur du baclofène sur le craving est incomplet (soit du fait d'une intensité trop forte du craving, soit du fait d'un effet suppresseur du craving relativement faible du baclofène, ou encore des deux) ; se pose ici la question de la dose de baclofène nécessaire, qui n'a peut-être pas été atteinte ;

3. Les patients souffrent d'une grande instabilité émotionnelle, avec des épisodes fluctuants d'angoisse intense, auxquels correspondent des fluctuations du craving, intense lui aussi au moment des épisodes d'angoisse, et vis-à-vis desquels le baclofène est inopérant ;

4. Le patient présente des troubles psychologiques, de type dépressif ou borderline, tels que l'alcool a chez lui une fonction double, et contradictoire : thérapeutique dans un sens, anxiolytique par exemple, ou même anti-

dépressive, quand boire est indispensable au patient pour ces raisons (ce que l'on appelle l'automédication par l'alcool) ; et en même temps une fonction suicidaire (on peut considérer l'alcoolisme chronique comme une conduite suicidaire inconsciente) ;

5. L'alcool a une fonction trop importante dans les relations entre la personne et son environnement professionnel. Par exemple, le malade souffre d'une phobie sociale et ne supporte pas d'affronter son activité professionnelle sans avoir bu ;

6. L'alcool occupe une fonction trop importante dans les relations entre la personne et son environnement familial, dans une interaction où il est indispensable pour elle de montrer, par exemple, qu'elle est en train de se détruire avec l'alcool (le message étant : « c'est à cause de vous ») ;

7. Les patients n'observent pas convenablement leur traitement. Plusieurs causes sont possibles : une hostilité de principe vis-à-vis des médicaments (ce qui est fréquent) et que les patients n'avouent pas à leur médecin, notamment de crainte de le décevoir ; des troubles cognitifs et de l'attention, fréquents chez les alcooliques, mais aussi chez les patients qui présentent des troubles bipolaires ou diverses formes de psychose, ou d'autres formes d'instabilité émotionnelle ; la certitude du patient qu'il peut s'arrêter de boire sans médicaments (il a consenti à accepter la conduite que son entourage le pressait d'adopter, c'est-à-dire aller voir un médecin et de se faire prescrire un médicament, mais il veut en réalité garder le

contrôle de son rapport à l'alcool), dans une forme de toute-puissance ;

8. Globalement, les patients chez qui le traitement ne réussit que partiellement présentent un mélange de plusieurs des éléments ci-dessus, la réalité étant qu'ils ne sont pas véritablement motivés pour arrêter de boire. Il me semble que plus les patients souffrent de leur alcoolisme, plus le traitement est efficace ; probablement parce qu'ils sont plus motivés pour arrêter que ceux qui n'en souffrent pas vraiment, ou en tirent des bénéfices.

Les échecs complets se mesurent sur la durée : au cours du suivi à deux ans, sur l'ensemble des 100 patients, 16 % d'échecs à trois mois, 27 % à six mois, 29 % à un an et 25 % à deux ans. Autrement dit, 16 % des patients n'ont pas du tout réagi au traitement, et un certain nombre de ceux qui avaient initialement favorablement réagi (succès ou demi-succès) ont par la suite rechuté. Les échecs chez les 16 % qui n'ont pas réagi au traitement soulèvent la question de l'insensibilité au médicament que j'ai évoquée plus haut. Dans un certain nombre de cas d'échec ou de demi-succès, il s'agit de patients chez lesquels les doses de traitement n'ont pas été suffisamment augmentées. Souvent parce que la montée progressive du dosage a été bloquée par les effets secondaires. Probablement aussi, parfois, parce que la dose maximale que j'avais choisi de ne pas dépasser (300 mg/j) quand j'ai commencé à prescrire du baclofène était en réalité insuffisante pour certains patients. Aujourd'hui je prescris couramment des doses supérieures à 300 milligrammes, ce qui ne pose en général pas de problème quand l'augmentation est lente et progressive et que les patients tolèrent bien le traitement.

Sait-on ce que deviennent les patients qui disparaissent sans donner de leurs nouvelles ?

Certains patients, en effet, ne reviennent pas consulter. La plupart n'étaient sans doute pas suffisamment motivés. Ou même ne souhaitaient pas du tout arrêter de boire. Certains ont sans doute été effrayés par les propos antibaclofène tenus par certains alcoologues et relayés par des médias (à la suite de ce qu'ils avaient entendu dans les médias, certains m'ont téléphoné quelque temps après avoir commencé leur traitement pour me traiter de charlatan ; ceux-là ont arrêté d'eux-mêmes de prendre le médicament). D'autres, je l'ai parfois appris par hasard, se sont adressés à leur médecin traitant (ou à un autre dont je n'avais pas les coordonnées) et sont donc partis se soigner en ville. Un aspect important du traitement par le baclofène est qu'il est léger, il ne nécessite ni hospitalisation ni grosses structures d'accueil, et n'importe quel médecin généraliste peut traiter un patient dans son cabinet.

Cependant, certains patients que j'avais envoyés à des médecins prescripteurs sont revenus me voir parce qu'on leur faisait payer la consultation 80, 100, ou même 150 euros et qu'ils ne pouvaient pas se permettre une telle dépense. Quelques médecins de ville ont manifestement compris que prescrire du baclofène pouvait rapporter gros, compte tenu de la situation dramatique dans laquelle se trouvent certains malades. Ce n'est pas le cas, heureusement, de la majorité des prescripteurs.

En dehors du centre de Vitry, quelles autres structures publiques accueillent les patients qui veulent être soignés grâce au baclofène ?

Il en existe très peu, à ma connaissance. Cette situation, paradoxale du point de vue des malades dont l'état exige des soins, s'explique en partie par l'opposition qu'a suscitée l'apparition du baclofène dans les milieux de l'alcoologie.

Ces derniers forment un monde en soi, disposant d'une surface considérable qui pèse de tout son poids sur les politiques de santé publique. Les structures de prise en charge de l'alcoolisme, les lits d'hospitalisation, les centres de cure et de postcure, la filière médicale avec la spécialisation en alcoologie, les centres de consultation forment un énorme appareil administratif et institutionnel autour du traitement de l'alcoolisme. Cet appareil et ceux qui l'animent tiennent naturellement compte, exactement comme les autres médecins, des prises de position de l'Affsaps, l'institution qui fixe les conditions de prescription des médicaments et dont j'ai déjà signalé qu'elle a activement freiné la diffusion du baclofène.

Les premières mises en garde de ce qui s'appelait encore l'Afssaps, dont on peut dire qu'elles visaient directement les prescripteurs, remontent à juin 2011. Elles ont eu un effet désastreux sur la prescription de baclofène en ville et dans le système hospitalier. On l'a vu, l'Afssaps (devenue entre-temps l'ANSM) a changé son fusil d'épaule en avril 2012, et, si ce revirement introduit dans les recommandations d'utilisation est très minime, il est, sur le plan symbolique, extrêmement important, car il supprime la menace implicite contre les médecins prescripteurs présente dans la première proclamation.

Officiellement, le nouvel avis s'est fondé sur un article paru dans la presse médicale en 2012 qui démontrait une nouvelle fois l'efficacité du baclofène dans le traitement de l'alcoolisme[19]. Officieusement, il est clair que la nouvelle direction de l'institution, celle qui venait de prendre ses fonctions au début de 2012, s'est montrée sensible aux arguments avancés par quelques personnalités scandalisées par l'attitude adoptée jusque-là par l'institution : le professeur Bernard Granger, psychiatre à l'hôpital Cochin à Paris par exemple, prescripteur lui-même (comme le sont les autres médecins de son service), est intervenu personnellement auprès du nouveau directeur. Cette volte-face s'explique sans doute aussi par le fait que les anciennes recommandations reposaient sur l'avis d'experts et de conseillers dont la liberté de jugement pouvait être contestée du fait de conflits d'intérêts majeurs induits par leurs relations avec l'industrie pharmaceutique.

Dans l'intervalle qui sépare les deux recommandations – environ un an –, un temps précieux a été perdu. Des rumeurs désastreuses se sont propagées. J'ai appris qu'un patient qui avait voulu prendre un rendez-vous pour une prescription de baclofène dans un service d'alcoologie parisien s'est vu rétorquer que c'était impossible : on lui a dit que le baclofène tuait les malades, que l'on avait même vu des malades traités venir mourir dans le service ! L'histoire m'a été racontée par le patient à qui la mésaventure est arrivée, elle n'est donc pas de seconde main. Dans un autre service d'alcoologie parisien, la prescription du médicament était curieusement refusée au motif que la plupart des patients traités tombaient, ce qui provoquait des fractures. Où ? Quand ? Combien ? Pas de précisions, et pour cause… Une collègue m'a cité le cas d'un patient traité et guéri par le baclofène qui avait voulu entreprendre une psychothérapie dans un service universitaire, toujours à Paris : quand il a informé la psychologue (cette fois il ne s'agissait pas d'un médecin) qu'il était sous baclofène, elle lui a ordonné de cesser immédiatement d'en prendre parce que le médicament pouvait être mortel. Ou encore cette étudiante préparant sa spécialisation en alcoologie qui a récemment été prévenue par l'universitaire enseignant que si elle mentionnait le baclofène dans sa copie d'examen, elle aurait zéro. Interdit de parler du baclofène pour les médecins en formation d'alcoologie ! Et que dire du nombre catastrophique de médecins qui ont utilisé l'affaire du Mediator pour laisser penser qu'il y aurait des similitudes entre les deux médicaments ? Un grand organe de presse a eu la faiblesse de relayer cette contre-vérité[20]. On peut espérer que des médecins honnêtes s'interrogeront un jour sur ce qui les a conduits à s'être faits, en toute bonne foi, les propagateurs de ces messages trompeurs. Ces exemples ne sont pas anecdotiques. Leur gravité se mesure par le nombre de patients qui jusqu'à ce jour n'ont pas été soignés à temps alors qu'ils auraient pu l'être, et qui sont morts de leur alcoolisme.

Malgré les mises en garde de l'Affsaps et les rumeurs trompeuses, des médecins hospitaliers n'en ont pas moins décidé de prescrire le traitement. La plupart l'ont fait discrètement, mais cela s'est su et des patients ont rapidement fait appel à eux. Je ne dirai pas qu'ils ont été (et sont encore) courageux, je dirai qu'ils ont adopté un comportement « normal », qu'ils ont fait ce que leur métier exigeait d'eux.

Dans le secteur public, la plupart des patients dépendants à l'alcool n'ont pas besoin d'être hospitalisés (on dit qu'ils sont pris en charge en ambulatoire), ce qui n'empêche pas que les lits d'hospitalisation où l'on soigne les alcooliques se comptent en France par milliers. Ces lits ne leur sont pas toujours exclusivement consacrés, mais, dans les services de médecine générale ou de gastro-entérologie, ils sont en réalité largement occupés par eux. Je n'ai jamais vu que l'on prescrive du baclofène aux malades qui occupent des lits d'alcoologie, mais je ne prétends pas être au courant de tout. Je suis même sûr que certains médecins le font sans le clamer sur les toits.

À ma connaissance, à part le service de l'hôpital Cochin, il n'y a qu'un centre universitaire qui ait pris assez tôt et de façon collégiale la décision de prescrire du baclofène, c'est le CHU à Lille. Un dispositif de prescription du baclofène y a été mis en place dans des conditions très rigoureuses et contrôlées : les consultations d'avis multidisciplinaires de traitements d'exception en addictologie (CAMTEA)[21]. Mais ce dispositif est lourd et limite le nombre de malades qui peuvent être traités. Les contraintes de prescription dans ce cadre CAMTEA me paraissent excessives au regard du peu de risque que présente le baclofène ; ce dispositif semble reposer sur le principe que celui-ci est dangereux, ce qui pour moi est une erreur. Aujourd'hui, d'autres médecins hospitaliers commencent certainement à prescrire le médicament.

Le médicament est remboursé ou non par les caisses d'assurance maladie de façon aléatoire...

La question du remboursement illustre parfaitement la situation absurde dans laquelle se trouve le baclofène aujourd'hui. En principe, il est remboursé jusqu'à 75 milligrammes par jour en ambulatoire (en dehors d'une hospitalisation) dans son emploi premier (traitement des spasmes musculaires en neurologie). Il est donc remboursé jusqu'à sept comprimés et demi, mais pas au-delà. Pour le traitement de la dépendance alcoolique, les doses sont souvent plus élevées et le niveau du remboursement dépend des caisses de sécurité sociale et des mutuelles. Ou peut-être, plus exactement, de l'opinion que se font du baclofène les médecins attachés à ces organismes. Ce sont eux qui en décident. Certains ne voient aucun inconvénient à ce qu'un patient soit soigné avec le baclofène, ce sont généralement des médecins au courant de la gravité de l'alcoolisme et des effets bénéfiques du médicament. Aussi considèrent-ils qu'il est tout à fait normal que celui-ci soit remboursé. Alors que d'autres se montrent tatillons, ou refusent tout net. Il y a donc des patients qui ne payent pas et d'autres qui payent sans que l'on comprenne très bien pourquoi.

Il m'arrive de recevoir un courrier disant : « Nous refusons de rembourser votre patient M. ou Mme X parce qu'il ou elle a dépassé la dose autorisée. » Or le baclofène pourrait faire gagner des millions, ou même probablement des milliards d'euros à la Sécurité sociale. Je rappelle que le coût de prise en charge des alcooliques en France s'élève à 20 milliards par an environ. Refuser de rembourser des boîtes qui coûtent 3 euros est insensé. Le médicament guérit les malades, ne coûte trois fois rien, et on prend le risque que les patients arrêtent leur traitement parce qu'ils ne sont pas remboursés ? On croit rêver.

La plupart des patients ne me posent même pas la question du remboursement. Cet aspect du traitement ne présente en général aucune difficulté. Le médicament est très ancien, et plus les médicaments sont anciens, moins ils coûtent cher. Les patients déclarent unanimement que, de toute façon, le baclofène leur coûte beaucoup, beaucoup moins cher que l'alcool.

4.

Pour ou contre le baclofène : controverse fâcheuse et conflits d'intérêts

Malgré les résultats spectaculaires obtenus par le traitement, la controverse sur le baclofène continue. Pourquoi ?

Je ne suis pas sûr que le mot controverse convienne. La controverse suppose l'échange d'arguments avec pour résultat que le débat progresse. Dans le cas du baclofène, je ne vois aucun échange, mais un clivage sans discussion avec, d'un côté, ceux qui ont essayé le médicament et, de l'autre, ceux qui ne veulent pas en entendre parler – et qui, à l'évidence, ne veulent même pas l'essayer.

Il suffit, pour un médecin, de faire quelques essais avec le baclofène pour mesurer son efficacité. J'estime que, quand on se trouve en face d'une maladie aussi grave que l'alcoolisme, quand on sait que les traitements habituels échouent, la moindre des choses est d'essayer un médicament sans danger, dont les effets extraordinaires ne sont plus un secret ! Toute autre conduite fait penser à une démission devant la maladie, comme si le plus important n'était pas de guérir ses malades... Faut-il souligner la

gravité de cette attitude ? À juste titre, les médecins prescripteurs, et plus encore ceux qui militent pour que tous
les malades qui ont besoin du traitement puissent y accé-
der, considèrent que la situation actuelle est une honte
pour la médecine. Le terme est fort, mais je l'utilise à
dessein.

Pour moi, il n'y a donc pas de controverse, mais des
positions tranchées. Ce qui est grave, c'est que le fossé
qui sépare la position des « pour » et celle des « contre »
instaure un barrage, empêche une généralisation de la
prescription dont des millions de malades ont besoin.
On perçoit cela très clairement quand on est quotidiennement en contact avec les médecins et les malades.
Depuis que j'ai commencé à prescrire du baclofène, j'ai
été invité des dizaines de fois à parler devant des collègues du médicament et de mon expérience de prescripteur. Au début, les auditeurs étaient surtout curieux de
savoir si le traitement donnait de bons résultats. Progressivement, cependant, les réactions ont changé. Aujour-
d'hui, la question de l'efficacité du baclofène ne se pose
plus, elle paraît résolue, et les questions qui me sont
posées portent principalement sur la sécurité, comme si
le baclofène était dangereux. Les gens se sont mis à avoir
peur, ce que je n'avais jamais observé jusque-là. Autour
d'un traitement aussi anodin qu'exceptionnel, une sorte
de psychose semble s'être installée, une diabolisation
du médicament plus proche de la dynamite que de la
controverse ! J'y vois le résultat d'une stratégie mise en
place par les adversaires du baclofène. Des invitations à

parler du traitement et de nos expériences de prescripteurs sont annulées sans raison. Un seul exemple, au printemps 2012, à Caen. Une annulation sans explication, dont personne n'a su exactement d'où elle venait. De la hiérarchie ? De l'administration ? On n'en sait pas plus. C'est du moins ce qu'on m'a dit.

Les attitudes ont changé – pas toujours pour le mieux – depuis la publication du livre d'Olivier Ameisen en 2008. À l'époque, l'avenir me paraissait assez simple : il fallait donner le temps aux professions médicales de découvrir l'efficacité du traitement. Cela prendrait quelques mois, peut-être un an ou deux, et puis l'évidence conduirait à l'extension d'AMM. De notoriété publique, nos instances sanitaires sont lentes à prendre une décision, ce qui, dans certains cas, peut se comprendre. Mais je pensais qu'une pression venant « de la base », c'est-à-dire des patients guéris et des médecins qui les soignaient, accélérerait le mouvement et les conduirait, plutôt tôt que tard, à recommander le traitement. J'avais à l'esprit deux précédents : l'arrivée des traitements de substitution contre les toxicomanies aux opiacés (avec la méthadone et la buprénorphine), et l'utilisation de la trithérapie pour le traitement du sida, dont l'efficacité avait permis de lever les réticences initiales. Il est en effet très simple pour les responsables concernés de prendre la décision d'étendre une AMM. Il suffit de décider de le faire, des essais thérapeutiques nouveaux ne sont pas nécessaires. L'AMM pour les trithérapies dans le sida a été accordée de cette façon. Une extension toute récente d'AMM pour l'aspirine également. Un simple arrêté publié au *Journal officiel* en a informé la communauté médicale.

S'agissant du baclofène pour l'alcoolisme, une extension d'AMM par l'institution publique régulatrice est la disposition qu'il suffit de mettre en œuvre, une procédure beaucoup moins lourde que lorsqu'il s'agit d'un nouveau médicament pour lequel une autorisation doit être obtenue. Je pensais que cette extension interviendrait dans un délai raisonnable.

Je me trompais. Je n'avais pas pris la mesure d'une différence fondamentale entre le baclofène et les médicaments utilisés pour la substitution de drogues et le sida : des intérêts financiers considérables appuyaient ces derniers alors que le baclofène n'intéressait aucun laboratoire pharmaceutique. Et cela changeait tout ! Le baclofène est un médicament qui ne rapporte plus rien aux laboratoires qui l'ont mis au point parce que sa formule est tombée dans le domaine public. Il est vendu sous forme de générique et les laboratoires « génériqueurs » qui le produisent n'ont pas vocation à intervenir dans la délivrance ou l'extension des AMM. La situation s'est ainsi bloquée du fait de l'absence de motivation des fabricants de la molécule, alors que des forces opposées au baclofène pouvaient donner libre cours à leur influence.

À l'évidence, l'efficacité du médicament allait gêner – c'est un euphémisme – ceux qui avaient misé sur d'autres méthodes de traitement, et investi dans la mise au point de celles-ci des sommes considérables. Pour obtenir la reconnaissance du baclofène dans toute l'étendue de ses qualités, il allait falloir que les prescripteurs se donnent les moyens de contrer ceux que son emploi dans les soins donnés aux alcooliques dérangeait. Sur le moment, je n'avais pas du tout pris conscience de cela. D'autres heureusement l'ont compris assez vite, et réalisé qu'il fallait s'organiser si l'on ne voulait pas que le baclofène tombe dans l'oubli. Et que s'éteigne l'espoir qu'il avait fait naître chez les malades et les médecins qui l'utilisaient avec succès.

Dans son livre, Olivier Ameisen a, le premier, dressé un tableau éloquent de la façon dont sa découverte a été reçue en France par les universitaires que sont les professeurs de médecine. Ou plutôt dont un certain nombre d'entre eux ont cherché à étouffer sa portée. Heureusement, le hasard peut-être, la chance sûrement, a fait que le baclofène a croisé la route d'un médecin qui s'est révélé être l'homme de la situation, Bernard Joussaume. Médecin généraliste à Bandol, médecin humanitaire dans le monde entier, rompu à la création et au fonctionnement des associations humanitaires, homme de passion, Bernard Joussaume s'est lancé dans l'action. Il a rencontré Olivier Ameisen en 2009, donné du baclofène à quelques patients alcooliques, compris que c'était un médicament extraordinaire, mesuré le risque qu'il y avait de voir cette avancée thérapeutique étouffée, et entrepris de faire ce qu'il fallait pour l'empêcher. En créant une association que je qualifierai de «machine de guerre» pour mener à bien ce qui ressemblait fort à la bataille du pot de terre contre le pot de fer. Une «machine de guerre » pour sauver des vies ? Oui, parce que c'était une guerre qu'il fallait mener contre la mort programmée, faute de soins efficaces, de malades innombrables.

L'association a été créée par une journée d'hiver glaciale où toutes les routes étaient bloquées par la neige, à Avignon, le 8 janvier 2010. Elle a été baptisée Aubes (Association des utilisateurs du baclofène et sympathisants). Bernard Joussaume en était le président, Olivier Ameisen et Élisabeth Borrel membres d'honneur. Son objet : informer les malades et les soignants, inciter les médecins à prescrire, pousser les pouvoirs publics à « banaliser la prescription de baclofène », et regrouper toutes les personnes prescrivant ou suivant le traitement.

Le succès auprès du public ne s'est pas fait attendre. Aujourd'hui l'association compte des milliers de membres ; elle a à son actif l'organisation de plusieurs colloques ; elle a créé un forum d'échanges en ligne pour les prescripteurs et les utilisateurs ; elle participe à des actions de formation ; elle a publié un livre de témoignages, *Indifférence*[22] ; elle entretient des contacts étroits avec les médias, promeut la recherche, entretient, après l'avoir construit, un immense réseau de médecins prescripteurs. Grâce au travail accompli, quiconque en France cherche un médecin prescripteur de baclofène est assuré d'en trouver un rapidement près de son domicile. De plus, l'association participe à l'étude « Bacloville » (la première étude clinique au monde sur le traitement de l'alcoolisme par le baclofène à haute dose, randomisée et en double aveugle*, autrement dit dans les règles de l'art des essais thérapeutiques), dont j'expliquerai plus loin la genèse et le fonctionnement.

Un des membres fondateurs d'Aubes, Sylvie Imbert, a quitté l'association quelques mois après sa création pour en fonder une autre, Baclofène (rejointe par Olivier Ameisen) qui a elle aussi une très large audience.

Deux associations pour une cause aussi importante que l'utilisation du baclofène dans le traitement de l'alcoolisme, ce n'est pas trop, loin de là. Une troisième a récemment été créée (automne 2012), l'association Résab (Réseau Addiction baclofène), dont l'objet est la formation des médecins prescripteurs.

Au début, l'objectif des associations était seulement d'informer sur le traitement, et de regrouper soignants et soignés sur des forums de discussion et dans des colloques. Leur but a évolué, leur rôle est devenu de plus en plus actif et engagé, plus militant aussi. Les associations ont en effet compris qu'elles devaient agir partout où c'était possible : « Ne jamais relâcher la pression » pourrait être la devise d'Aubes. La nécessité de l'action est devenue flagrante au vu de l'inertie des autorités sanitaires et de la désinformation propagée par les adversaires du baclofène. L'attitude de ces derniers a déterminé celle des

---

* « Randomisée et en double aveugle » signifie que les patients inclus dans l'étude sont tirés au sort pour recevoir soit le traitement étudié soit un placebo ou une molécule de référence connue pour agir sur la maladie.

associations : les détracteurs du baclofène ont utilisé les médias pour diffuser des contre-vérités, et les associations ont riposté par la même voie pour les dénoncer.

Pour atteindre le but fixé, les associations ont aussi décidé d'informer diverses instances politiques et sanitaires sur les conséquences d'une situation bloquée. Et de les interpeller. Il est en effet rapidement apparu que le camp antibaclofène était très influent auprès de ce qui s'appelait encore l'Affsaps, et que, pour obtenir l'extension de l'AMM, il faudrait emprunter d'autres voies que celle de la simple persuasion. D'où des actions que l'on pourrait qualifier de « commando », destinées à réveiller les autorités, à les mettre devant leurs responsabilités. Par exemple la création en 2011 du collectif « 7 ans – 100 000 morts », qui avait pour objectif d'alerter les politiques et tous les décideurs en matière sanitaire. La publication d'un manifeste a été décidée. Le public en général et les médecins en particulier savaient-ils que ne pas autoriser la prescription de baclofène constituait une non-assistance à personne en danger ? Que, ce faisant, c'était un feu vert donné à la mort annoncée de milliers de personnes ?

L'initiative de cette action revient à Pierre Leclerc, un adhérent de l'association Baclofène, qui se définit lui-même comme « un citoyen de base, motivé par ce scandale moral et financier qu'est le refus d'autorisation de prescription du baclofène dans le traitement de l'alcoolisme ». Le manifeste a été signé par les deux associations Baclofène et Aubes, ainsi que par quatorze personnes, dont huit médecins, appartenant ou non aux deux associations. Le propos de cette action reposait sur un calcul simple : d'un côté les effets thérapeutiques du baclofène étaient connus, à l'époque, depuis sept ans ; de l'autre l'alcool tue 45 000 personnes par an en France. Le baclofène ne guérit pas tous les alcooliques, d'autant que tous ne veulent pas se soigner, mais on peut raisonnablement penser qu'il peut en guérir un bon tiers, soit 15 000 par an. Sans aucune exagération, on pouvait estimer que 100 000 vies auraient pu être épargnées depuis 2004. Ne fallait-il pas le crier très fort puisque aucun décideur ne semblait se préoccuper de l'urgence de la situation ?

Le manifeste publié par le collectif a été envoyé à des dizaines d'instances et de personnalités diverses : ministères, élus, etc. Les réponses, édifiantes, permettent le plus souvent à leur auteur de botter en touche ou d'user de la langue de bois, quand ce n'est pas simplement de refuser d'intervenir. Ce qui signifie que nos instances politiques et sanitaires dûment informées, ont laissé – et laissent encore – par leur passivité, un crime se perpétrer. Il n'y a pas d'autre mot pour qualifier la mort évitable de 15 000 personnes par an. Malgré le cri d'alarme lancé par le manifeste, aucune mesure n'a été prise.

Soyons clairs. Je ne dis pas du tout que nos responsables sont les auteurs d'un crime : le dossier est trop complexe, trop nouveau, trop imprévu, trop sensible. Mais il met en lumière une situation exemplaire, riche d'enseignements : sur la capacité à gérer la nouveauté, sur l'adaptabilité de nos dirigeants, sur la question de la priorité donnée à l'éthique. Avec cette question : que vaut la vie d'un alcoolique ? Elle s'était posée au moment de la survenue de l'épidémie du sida : que vaut la vie d'un sidéen ? Elle se pose aussi bien pour les handicapés et les malades mentaux en général. Sait-on que la vie d'un schizophrène est de vingt-cinq ans plus courte que celle de la population générale ? Quelles sont toutes ces populations qu'un certain inconscient collectif préférerait voir disparaître ? Qu'est-ce que cela signifie ? Où cela mène-t-il ?

L'histoire s'intéressera sûrement un jour au paradigme alcool/baclofène. On peut imaginer une fiction où les politiques se retrouveraient sur le banc des accusés : « Vous étiez au courant, on vous avait clairement alertés, et vous n'avez rien fait. Vous avez laissé mourir des dizaines de milliers de personnes sans lever le petit doigt. » Et la question suivante sera : « Pourquoi ? Quelles pressions, quels calculs, quels conflits d'intérêts, quelle inertie expliquent votre attitude ? »

Les conflits d'intérêts sont sous-jacents dans cette affaire...

Pour soigner l'alcoolisme, les solutions autres que le traitement par le baclofène pèsent d'un poids très lourd dans les décisions de santé publique. Elles reposent, souvent depuis longtemps, sur des structures de fonctionnement institutionnalisées et puissantes. Des enjeux économiques considérables sont en cause. Le baclofène n'a pas sa place dans une telle configuration. Il pourrait même la mettre en péril.

Son arrivée a fait l'effet d'un pavé dans la mare. Personne ne l'attendait. Il est venu bousculer des dizaines d'années d'habitudes. Beaucoup d'alcoologues restent dans le déni de ce qui s'est passé avec lui. Ils ne parviennent pas à accepter l'idée que c'est un médicament comme ils n'en ont jamais vu, ni même imaginé. Et ils n'apprécient guère d'être interpellés par des médecins inconnus, des associations rentre-dedans, des médias qui ont trouvé là un sujet auquel le public se montre très sensible. Universitaires de renom, convaincus qu'ils n'ont de leçons à recevoir de personne et surtout pas de ceux qu'ils qualifient d'« excités du baclofène », ces spécialistes font, depuis des années, de l'obstruction. Par tous les moyens.

Le meilleur exemple qu'on puisse en donner est l'affaire de l'essai thérapeutique du baclofène, dont ils ont déclaré qu'il était indispensable pour que les conditions de prescription soient revues. Indispensable ? Mais non ! Les essais thérapeutiques sont nécessaires quand un nouveau médicament arrive sur le marché, qu'il faut démontrer son efficacité, son innocuité, etc. Le baclofène est prescrit depuis quatre décennies : il est sans danger aucun, ses effets secondaires sont tous connus, répertoriés, analysés, et surtout bénins. Pourquoi, dans ces conditions, exiger une nouvelle étude, longue à réaliser ? D'autant que les essais thérapeutiques ont déjà été effectués dans les règles de l'art en Italie il y a plus de dix ans, et démontrent aussi l'efficacité du baclofène dans le traitement de l'alcoolisme[23]. Dans ces essais, les effets positifs du baclofène n'étaient pas spectaculaires, seulement significatifs, avec des résultats du même niveau que ceux obtenus par des médicaments « classiques » comme le Revia® ou l'Aotal®. Si les résultats obtenus étaient modestes, c'est que les Italiens avaient utilisé des doses faibles (30 mg/jour) : on ne savait pas encore que des doses plus élevées augmentaient l'efficacité de la molécule. Mais le niveau du dosage ne change rien au fond de la question. On n'a jamais vu dans l'histoire de la médecine qu'un changement de posologie justifie de nouveaux essais ! Des essais incluant des centaines de patients, sur plusieurs années ? C'est invraisemblable. Les demander, laisser croire qu'ils sont indispensables, c'est de la mauvaise foi pure. Ce n'est qu'un prétexte trouvé par les adversaires du traitement pour retarder les prescriptions et créer une atmosphère de peur. On a laissé circuler l'idée que le baclofène était un médicament dangereux, voire illégal (Le Figaro Santé du 24/04/2012). C'est un moyen de faire peur aux médecins et aux malades, de faire planer l'idée de poursuites judiciaires autour de la prescription de baclofène, d'étouffer la prescription. N'importe quel médecin a le droit prescrire du baclofène aujourd'hui.

L'obstruction a aussi consisté à différer au maximum la mise en place de cet essai thérapeutique. S'y sont attelés des médecins qui ont délibérément écrit des protocoles inappropriés, l'objectif étant de faire en sorte que l'essai se solde par un échec. On a alors assisté à un véritable vaudeville, où des spécialistes s'interpellaient autour de protocoles pathétiquement mauvais. Olivier Ameisen raconte cela très bien dans son livre. Et puis est arrivé Philippe Jaury, un des rares universitaires qui ait tout de suite compris la nature révolutionnaire du traitement, et l'urgence de faire avancer les choses. Puisqu'il fallait un essai thérapeutique, il allait en faire un. Je ne sais pas s'il avait compris dès le départ que ce serait une entreprise titanesque. On lui a mis des bâtons dans les roues, mais il y est arrivé. L'essai est en cours, c'est lui qui s'appelle Bacloville (voir p. 134). On est encore loin de la fin de l'histoire puisque la réalisation d'un essai thérapeutique prend au moins deux ans et qu'ensuite il faut analyser les résultats, les publier. Un long processus, donc, dont la lenteur inévitable a des conséquences dramatiques pour les patients qui continueront de tout perdre, de mourir, avant que les médecins ne soient officiellement encouragés à prescrire du baclofène.

Un autre essai a été entrepris postérieurement à Bacloville, l'essai Alpadir. C'est un essai sponsorisé par un industriel, le Laboratoire Ethypharm. Le fait qu'un laboratoire prenne en main un essai thérapeutique est une très bonne chose pour l'avenir du médicament. Un industriel ne peut pas s'engager dans une telle voie sans avoir des assurances très concrètes que le baclofène aura une extension d'AMM. L'industrie y retrouve ses intérêts, et les universitaires, jusque-là très hostiles au baclofène, retournent leur veste, s'associent à elle, ils peuvent même récupérer le crédit de la réussite du baclofène et être rémunérés pour leur coopération. Seulement, il faut encore attendre les résultats de l'étude et patienter pendant que s'effectuent les démarches administratives qui précèdent la commercialisation d'un médicament, en particulier l'accord sur son prix, le tout prenant en général un temps interminable. Les patients devront donc prendre leur mal en patience jusqu'à ce que l'industriel ait trouvé un accord avec l'assurance maladie pour fixer le nouveau prix du baclofène (évidemment beaucoup plus élevé que le prix actuel). On sait que ce type de processus prend des années et, d'ici là, les malades qu'on pourrait soigner peuvent bien mourir... On risque de surcroît que les résultats de l'essai Alpadir soient contestés, car celui-ci a été très critiqué sur le plan méthodologique.

En réalité, les questions méthodologiques mises à part, ces essais thérapeutiques (Bacloville compris) posent un problème de fond : les patients qui y participent ne sont souvent pas très motivés pour arrêter de boire. En effet, tout le monde sait aujourd'hui qu'il existe des prescripteurs de baclofène, qu'on peut toujours en trouver un si on cherche vraiment. Alors pourquoi un malade accepterait-il de participer à un essai où il a une chance sur deux de prendre un placebo ? N'est-ce pas justement parce qu'il aurait une chance sur deux de continuer à boire sans problème ? Le recrutement de ces patients pourrait conduire à une mauvaise appréciation des effets du traitement.

La peur a aussi touché les pharmaciens des officines, même si ce n'est que modérément. Les pharmaciens ont le devoir d'informer les patients au sujet des prescriptions, et lorsqu'un pharmacien juge qu'une prescription peut mettre en danger la santé d'un client, il doit téléphoner au médecin prescripteur, et, s'il n'est pas convaincu par ses arguments, il doit refuser la délivrance du médicament. Inutile de dire que j'ai reçu un très grand nombre de coups de téléphone de pharmaciens, et j'espère les avoir toujours convaincus. Mais j'ai aussi entendu dire que deux pharmaciennes de Nouvelle-Calédonie avaient été licenciées pour avoir délivré du baclofène à un patient, ce qui est scandaleux. Aujourd'hui, d'après ce que me disent mes patients, les pharmaciens sont bien informés et délivrent du baclofène sans faire de difficultés. Ils ne paraissent plus se laisser impressionner par les discours des antibaclofène.

Les détracteurs du traitement n'ont sans doute pas encore utilisé toutes leurs munitions. Ils peuvent continuer de faire peur, amplifier comme ils l'ont déjà fait la gravité des effets secondaires. Un traitement mal conduit peut en provoquer de très impressionnants, même s'ils sont totalement dépourvus de gravité. Il est aisé, dans ces conditions, d'agiter le chiffon rouge, même si cela ne se justifie absolument pas.

Et ce n'est pas tout. Les adversaires du baclofène cherchent à démontrer dans les médias que le baclofène ne réussit pas mieux que les traitements habituels de l'alcoolisme. On n'a pas fini d'entendre que les traitements «classiques» de l'alcoolisme obtiennent d'excellents résultats. L'affirmation qu'ils guérissent 50 % à 60 % des alcooliques est intéressante à creuser. Elle se

retrouve dans les médias et dans divers journaux médi-
caux, notamment une revue de médecine qui s'appelle
La Revue du praticien, dans un article signé Aubin
et al. (2011). Mais surtout dans un article publié dans
un journal qui fait autorité, le *Lancet*, par un auteur qui
fait lui aussi autorité, Marc Schuckit, célèbre alcoologue
californien, auteur de près de quatre cents publications
internationales sur l'alcoolisme. Cependant, quand on lit
attentivement l'article de Schuckit[24], et que l'on étudie
les articles scientifiques sur lesquels il se fonde pour affirmer que 50 à 60 % des alcooliques guérissent, il y a de
quoi être à la fois déçu et étonné : la plupart de ces études
sont faites sur des échantillons ridiculement faibles de
patients, alors que, pour affirmer que 50 à 60 % des
alcooliques guérissent, il faudrait que les populations étudiées soient beaucoup plus larges ; et les patients des
études citées par Schuckit n'ont pas été pris au hasard
(comme ce serait indispensable dans toute étude épidé-
miologique sérieuse), mais sélectionnés selon divers critères incompatibles avec toute donnée généralisable.
D'autres études, mieux faites, montrent que le nombre de
patients guéris par les méthodes classiques est beaucoup
plus faible. Mais il est vrai que la question reste difficile
à trancher. Comme je l'ai dit précédemment, plus de
80 % des alcooliques ne cherchent pas à se soigner. Et il
est bien établi que parmi les 15 à 20 % qui restent,
c'est-à-dire ceux qui demandent des soins, la majorité ont
un alcoolisme fluctuant : alternance de périodes de
consommation d'alcool importante et d'autres où elle est

plus faible, ou même d'abstinence temporaire. De telle sorte que la rémission qui s'obtient après un séjour dans un service de soins est à attribuer plutôt à une évolution spontanée de la maladie (en attendant une rechute) qu'à l'efficacité du traitement. On sait par ailleurs que l'alcoolisme diminue spontanément avec l'âge (comme le tabagisme et les autres addictions), tout simplement parce qu'on supporte moins bien l'alcool à 60 ans qu'à 30, qu'on soit traité ou pas. Déterminer l'impact exact des traitements est compliqué si, comme il le faut, on tient compte de ces données. Il est indispensable de préciser dans quelles conditions la rémission a été obtenue, de quel type de rémission il s'agit (avec risque de rechute ou non), et de quel recul on dispose (de quelques mois ou de plusieurs années, la distinction est indispensable).

Pourquoi est-il si important de faire circuler le message que 50 % à 60 % des alcooliques guérissent avec les méthodes habituelles ? Le baclofène, on l'a vu plus haut, guérit environ 60 % des patients, preuves à l'appui. En fait, du jamais-vu ! En avançant des taux de réussite identiques ou presque, on veut laisser croire que le baclofène n'apporte rien de plus que les traitements classiques. Et semer le trouble dans les esprits. Une précision pourtant : les 60 % de succès constatés avec le baclofène ne portent pas sur des patients du même type que ceux qui reçoivent les autres traitements. Parmi les premiers, tous sont des malades résistants aux traitements habituels. En d'autres mots, ce sont des patients que ces traitements n'ont pas guéris. Ce qui signifie que même si les 60 % de guérisons affichées par certains alcoologues correspondaient à une réalité, on peut souligner que le baclofène a supprimé la dépendance chez une bonne partie des 40 % des malades laissés au bord du chemin par l'alcoologie « classique ».

J'aimerais signaler une pratique pour le moins para-doxale, qu'on pourrait trouver amusante si on avait envie d'en rire… Un certain nombre d'alcoologues, adversaires du baclofène, qui refusent d'en prescrire à leurs patients et répandent des idées fausses à son sujet, m'adressent leurs patients pour que je leur prescrive moi-même le traitement. Des alcoologues qui m'envoient leurs patients alcooliques, c'est le monde à l'envers ! Et même, récem-ment, comble du comble, un alcoologue mécontent m'a relancé pour se plaindre de ce que je ne voyais pas assez vite un de ses patients en mal de baclofène : « C'est une urgence, vous devez le traiter au plus vite ! »

Autre exemple des effets paradoxaux et délétères de la propagande antibaclofène : les médecins des commissions des permis de conduire. Un de mes patients, à qui on avait retiré le permis pour conduite en état d'ivresse, était venu me voir pour prendre du baclofène. Le traitement avait remarquablement bien marché, il ne buvait plus une goutte d'alcool, et s'en trouvait très heureux. Un jour, il retourne voir la commission des permis de conduire, avec, en main, une série d'examens biologiques montrant que ses enzymes hépatiques s'étaient normalisées : depuis six mois, il avait des enzymes absolument normales, alors qu'auparavant elles étaient au plafond. Les médecins de la commission ont refusé de lui rendre son permis, au prétexte que ses examens étaient « trop » normaux. Ils n'avaient jamais vu d'examens aussi normaux chez un alcoolique, et l'ont accusé d'avoir triché ! Quand le patient leur a dit que c'était grâce au baclofène, ils lui ont répondu que cela aggravait encore son cas : le baclofène rendant somnolent, cela faisait une raison supplémentaire de refuser de lui rendre son permis...

J'ajoute que j'ai reçu des témoignages de confrères médecins en assez grand nombre qui m'ont avoué avoir été malgré eux victimes de la propagande antibaclofène. En toute bonne foi, ils ont tenu des discours hostiles au baclofène, jusqu'au jour où ils se sont aperçus qu'ils avaient été trompés – trompés par des médecins souvent prestigieux, qui leur étaient hiérarchiquement supérieurs et en qui ils avaient confiance.

Derrière le débat sur le baclofène, une compétition de caractère économique aux dimensions considérables est en jeu...

La puissance de ceux qui ont intérêt à maintenir, voire à développer la consommation d'alcool, est énorme et couvre le monde entier. En France, elle fait partie du paysage politique. Il faut savoir que les alcooliers, vendeurs de vins et de spiritueux, et tous leurs associés, sous-traitants et autres, ont construit leur fortune sur l'alcoolisme. Ce ne sont pas les buveurs « ordinaires », ni même les personnes qui, à l'occasion, consomment une quantité déraisonnable d'alcool pour faire la fête, pour le plaisir, qui sont leur manne. Ceux qui les enrichissent, ce sont les alcooliques enchaînés à leur dépendance, et qui vivent quotidiennement un face-à-face solitaire et sinistre avec leur bouteille. Ceux-là forment une clientèle immense et captive.

Pour les alcooliers, le baclofène menace directement leur chiffre d'affaires. Que se passerait-il si le traitement venait à se généraliser ? Ce groupe de pression est formé d'acteurs de la vie économique et sociale qui savent se battre. Pour ce lobby, nul besoin de déclarer ouvertement son hostilité à ce qui porte atteinte à son activité, ses réseaux suffisent. Il dispose de beaucoup d'influence, de sympathisants nombreux, de toute la culture qui auréole la consommation d'alcool. À l'Assemblée nationale, au Sénat, siègent des détenteurs de larges pouvoirs en matière de santé publique. On en connaît un certain nombre qui se vantent d'être des « bons vivants », des « connaisseurs », des « amateurs d'un art de vivre bien français » – et dont il est clair qu'ils défendent des intérêts locaux ou autres, bien particuliers ; il n'est pas très difficile de faire passer le message auprès d'eux : « Vous n'allez quand même pas nous mettre des bâtons dans les roues, ruiner les producteurs, créer du chômage. – Mais non, mais non, on est en France, le pays des gastronomes, le pays du vin, allez, venez, on va arroser ça ! » La tolérance vis-à-vis de l'alcoolisme, même si elle ne dit pas son nom, fait partie de la vie publique, et le combat pour son éradication est toujours à recommencer. Comment se fait-il que des publicités pour des apéritifs s'affichent encore dans le métro, et pour des bières dans des journaux, avec, au mieux, une minuscule mise en garde incitant à la modération ? La loi Évin interdit la publicité pour l'alcool. Qui a autorisé ces placards publicitaires ?

D'autres intérêts que ceux des marchands d'alcool freinent la reconnaissance du baclofène...

La dimension historique du problème, le poids des habitudes prises créent le climat dans lequel les autorités publiques prennent leurs décisions concernant l'alcoolisme. Or qui conseille ces autorités ? Pour l'essentiel, des professionnels de santé, des experts, des médecins, en particulier des spécialistes... Les réticences – pour ne pas dire l'opposition – que suscite le baclofène dans le milieu de l'alcoologie sont en effet d'une autre nature que les motivations strictement commerciales des marchands d'alcool. Mais elles n'en pèsent pas moins d'un poids considérable. Je pense notamment à l'importance des moyens déployés pour soigner la population alcoolique. Les moyens structurels de lutte contre l'alcoolisme, auxquels s'ajoutent les dépenses de fonctionnement et de personnel, atteignent en France des niveaux dont peu de contribuables ont conscience. Ce sont les rouages nombreux et lourds d'un système qui est à la mesure de l'importance du problème. Une véritable machine dont le fonctionnement a des effets pervers. Tout se passe comme si le sujet principal de la lutte contre l'alcoolisme, c'est-à-dire le malade alcoolique, se retrouvait relégué au second plan derrière d'autres considérations.

Comme il y a beaucoup d'alcooliques, qu'il faut les soigner, que la tâche est difficile, on met en place d'énormes infrastructures de traitement. Le système est construit, organisé et géré en se fondant sur la longue expérience accumulée, qui montre qu'on guérit très mal ces malades. C'est cette faille qui a permis au système de perdurer. Progressivement et péniblement construit depuis environ soixante ans autour de la prise en charge des alcooliques, il perd sa raison d'être si ces derniers guérissent. Car guérir les malades change tout, et personne n'y a été préparé. On continue de gérer au mieux les investissements et les intérêts industriels qui sont la condition du bon fonctionnement du système. Cela concerne aussi bien les structures publiques que les structures privées qui occupent une place très importante dans le dispositif de cure et de postcure.

Un petit exemple, significatif néanmoins : un de mes patients, qui avait rechuté, m'a récemment raconté qu'il avait été admis dans une structure privée de traitement de l'alcoolisme, et que, juste pour voir, il avait affiché dans le salon de l'établissement une affichette préconisant l'utilisation du baclofène. Convoqué par la directrice de l'établissement, il a été renvoyé sur-le-champ. Le baclofène est dangereux pour ces structures qui ont l'habitude depuis des dizaines d'années de recevoir des malades inguérissables. On les garde pendant quelques semaines ou quelques mois, puis ils sortent, et dans la quasi-totalité des cas ils rechutent dans les jours ou semaines qui suivent. Alors, ils reviennent. Un alcoolique représente pour ces structures, qui sont des entreprises commerciales, une rente à vie. Si, par la faute du baclofène, ces établissements devaient fermer, les conséquences sont claires : pertes d'emploi, chômage, etc. Pour les intérêts concernés, une catastrophe. Qui ne les comprendrait pas ?

Je ne veux absolument pas faire le procès des structures de soins en alcoologie et de ceux qui y travaillent, qu'ils soient dans le public ou dans le privé. Je fais un constat. Les données du problème de santé publique que constitue l'alcoolisme changent du fait du baclofène. Personne n'attendait un médicament qui non seulement supprime la dépendance des malades, mais, de surcroît, leur évite de revenir se faire soigner puisqu'ils ne se remettent pas à boire.

Mais il faut se souvenir de la tuberculose et des sanatoriums. L'activité des sanatoriums comportait d'énormes enjeux économiques. Et puis sont arrivés les antibiotiques. Toute l'industrie des sanatoriums s'est effondrée et a dû se reconvertir. Avec le baclofène et l'alcool, on n'est pas très loin d'une situation comparable.

Quel est le rôle joué par l'industrie pharmaceutique dans la lutte contre l'alcoolisme ?

Un rôle très important. On sait depuis longtemps que des traitements nouveaux, des traitements performants doivent être développés et, sur ce plan, les intérêts de l'industrie pharmaceutique entrent naturellement en jeu. L'énorme dispositif que je viens de décrire, auquel ne participent pas seulement des médecins de terrain, mais également des médecins chercheurs, des universitaires, des « experts », entretient des liens étroits avec l'industrie parce que son concours est nécessaire au développement des nouveaux médicaments. C'est l'industrie pharmaceutique qui conçoit ceux-ci et les développe. Elle est à l'origine de quelques-unes des plus grandes avancées dans l'histoire de la médecine. En psychiatrie, on lui doit les neuroleptiques, les anxiolytiques, les antidépresseurs et la plupart des thymorégulateurs. Des centaines de millions de personnes dans le monde, qui, sans médicaments, auraient passé leur vie à croupir dans des hôpitaux psychiatriques, peuvent désormais mener une vie normale grâce à leur traitement.

Le baclofène a été découvert et développé par un industriel, Ciba-Geigy, il ne faut pas l'oublier (les Laboratoires Ciba-Geigy ont fusionné avec les Laboratoires Sandoz en 1996 pour créer le groupe Novartis). Il est de bon ton de dénigrer l'industrie pharmaceutique depuis que des scandales ont terni son image. C'est une erreur, et ce n'est pas ce que je fais. Les industriels du médicament sont des industriels comme les autres, ils doivent développer et vendre des produits, c'est leur métier. Mais, parallèlement, les agences de sécurité sanitaire doivent développer des systèmes de contrôle, c'est aussi leur métier. Quand un industriel crée un produit, il doit le vendre, sa survie peut en dépendre. Si le produit est dangereux, c'est aux agences de sécurité sanitaire de le dire : ils disposent de systèmes de pharmaco-vigilance très bien organisés pour cela. Et si le médicament est sans danger, c'est à eux de le dire également.

Or l'industrie pharmaceutique développe constamment des nouveautés et des moyens de recherche colossaux sont notamment consacrés au traitement de l'alcoolisme. Il faut dix ans, parfois beaucoup plus, pour créer et commercialiser un nouveau médicament. Avant cela, il faut investir des centaines de millions d'euros, parfois beaucoup plus, dans ces programmes de recherche. Un article paru récemment dans la revue *Nature* mentionne que le développement d'un nouveau médicament coûte en moyenne 1,778 milliard de dollars ! On mesure l'ampleur de ce qui se joue derrière l'élaboration de nouveaux traitements de l'alcoolisme. Les recherches pour la mise au point d'un médicament réellement efficace ont commencé bien avant l'arrivée du baclofène ; et voilà que celui-ci menace directement leur rentabilité future, compromet l'avenir des industriels, de leurs usines, de leurs salariés aussi. Concrètement, une extension d'AMM pour le baclofène, cela peut représenter des dizaines ou des centaines de chômeurs en plus. On ne peut pas méconnaître non plus cet aspect de la question.

Que ceux qui développent de nouveaux médicaments contre l'alcoolisme s'activent de façon plus ou moins souterraine pour étouffer le baclofène, c'est compréhensible, c'est la règle du jeu. Mais il faut qu'au nom de l'intérêt général les organismes publics de contrôle exercent leur action dans des conditions d'indépendance vérifiables, que les décisions qu'elles prennent soient au-dessus de tout soupçon. L'indépendance des instances qui délivrent les autorisations réglementant les médica-ments, de même que celle de leurs conseillers et de leurs « experts » est cruciale. Comment faire ? La ques-tion du conflit d'intérêts, puisque c'est d'elle qu'il s'agit, se pose dès qu'interviennent les « décideurs » de l'admi-nistration et les spécialistes dont l'avis est indispensable. Il s'agit d'un problème très complexe, très sensible qui, bien entendu, ne concerne pas seulement le baclofène. On ne peut pas lui apporter de réponse à l'emporte-pièce.

La question des dispositions à prendre pour éliminer les conflits d'intérêts dès lors que s'exerce un pouvoir de décision (ou de conseil) en matière d'autorisation ou de recommandation d'un produit pharmaceutique a récemment occupé le devant de la scène. La réorganisa-tion de l'Agence française du médicament était en effet devenue indispensable suite au scandale du Mediator. Depuis le 1er mai 2012, l'Agence nationale de sécurité du médicament et des produits de santé (ANSM) a remplacé l'Agence française de sécurité sanitaire des produits de santé (Affsaps), je l'ai dit, mais le changement n'a pas porté uniquement sur le nom de l'agence. Le journal *Le Monde* (du 1er septembre 2012) a indiqué que les réaffectations des personnels sont allées bon train puisque sur le millier d'agents de l'institution, environ huit cents ont changé de poste ! Or certains de ces postes ont été difficiles à pourvoir en raison des nouvelles règles de prévention des conflits d'intérêts. En principe, il n'est plus possible d'exercer un mandat d'expert tout en participant comme « investigateur principal » à des essais cliniques financés par l'industrie pharmaceutique. Pas plus qu'il ne sera dorénavant admis, pour remplir la même fonction, d'entretenir des liens professionnels, rémunérés ou non, avec un laboratoire en particulier. Mais il existe des domaines où il est extrêmement difficile de trouver des experts de haut niveau libres de tout lien ; et, faute de financement public suffisant, ce sont souvent les industriels qui permettent aux chercheurs de conduire les essais cliniques indispensables. Le directeur général de l'ANSM, le professeur Dominique Maranchini, entend appliquer à son personnel et aux experts les mêmes règles que celles que l'Agence européenne du médicament a adoptées. On verra à l'usage comment tout cela fonctionne.

S'agissant du baclofène, l'implication des experts dans des programmes de recherche concurrents devrait les disqualifier. Ce sera sans doute difficile à mettre en pratique. Mais on pourrait au moins demander aux médecins sollicités par les industriels de choisir : guérir les malades avec le baclofène ou maintenir les avantages financiers – même s'ils les considèrent comme légitimes – que leur procurent leurs liens avec l'industrie.

D'autres nouveaux médicaments sont ainsi en cours d'élaboration...

Absolument. Par exemple des antagonistes des opiacés (sur le modèle du Revia®), des antiépileptiques, des antagonistes sérotoninergiques, ou des molécules agissant sur le système glutamatergique. En réalité, ces explorations existent depuis longtemps, elles ont démontré une efficacité relative chez les animaux, mais presque aucune chez l'homme. Ce qui n'empêche pas que certaines de ces molécules soient sur le point d'être commercialisées.

Il faut comprendre comment l'industrie pharmaceutique parvient à rentabiliser des médicaments dont l'efficacité est faible, et même très faible. C'est un paradoxe qui tient à l'ampleur de la demande de médicaments indiqués dans les maladies que l'on ne sait pas soigner, pour lesquelles de « bons » traitements n'existent pas. Le calcul commercial des laboratoires n'a rien d'obscur. À ce jour, par exemple, il n'existe aucun traitement efficace pour la maladie d'Alzheimer en dehors des anticholinestérasiques qui en ralentissent la progression d'une façon minimale. Comme on dénombre des centaines de millions de malades d'Alzheimer dans le monde, n'importe quel médicament nouveau remportera nécessairement un succès commercial. Tout le monde voudra l'essayer, même s'il est inopérant ou à peu près. Il y a aussi des centaines de millions d'alcooliques dans le monde qu'aucun médicament, à l'exception du baclofène, ne permet de guérir : une nouveauté connaîtra nécessairement le succès – sur le plan de ses ventes – même si elle ne « marche » pas sur le plan thérapeutique, parce que la demande est énorme, aussi énorme que le désespoir généré par la maladie. C'est le raisonnement que tiennent les laboratoires qui lancent de nouveaux produits et cherchent naturellement à récupérer leurs dépenses d'investissement. En l'absence d'un traitement efficace de l'alcoolisme, ne serait-ce que pour montrer aux patients et aux familles qu'ils « font quelque chose », les prescripteurs vont jouer le jeu, jusqu'à ce que tout le monde (malades et familles) comprenne que le nouveau médicament ne sert à rien. Mais cela prendra quelques années ; dans l'intervalle le laboratoire récupérera son investissement et, au-delà, fera d'énormes bénéfices... à condition qu'un intrus imprévu ne vienne pas faire capoter le bon déroulement de l'opération. Ici, l'intrus s'appelle le baclofène. On comprend bien pourquoi les laboratoires qui développent des médicaments contre l'alcoolisme adoptent une stratégie d'étouffement et de diabolisation d'une molécule qui, contrairement à d'autres, se révèle être efficace. Leur but est de retarder au maximum l'extension de son utilisation. Leur calcul est simple : s'il faut quelques années pour amortir les investissements, ces quelques années sans la concurrence du baclofène suffiront. Pour l'industrie, la question de la durée est vitale, d'où l'exigence de l'essai thérapeutique indispensable, qui sert d'écran de fumée.

En toile de fond de la « controverse » sur le baclofène, se trouve le fait que, par différents moyens, les médecins continuent d'être poussés à faire obstruction à l'extension du seul médicament dont l'efficacité est patente : quelques-uns, parmi ceux qui disposent d'influence et de pouvoir, se voient proposer de grosses rémunérations pour des petits travaux commandés par le lobby pharmaceutique ou un laboratoire en particulier, ou quelques faveurs judicieuse-ment dispensées... Pour ces médecins, le dilemme est éthique : guérir les malades ou bien continuer à bénéficier de ces avantages. L'activisme des antibaclofène indique de quel côté s'est porté leur choix.

Les probaclofène ont-ils interpellé les pouvoirs publics ? Avec quel résultat ?

Le but de l'appel du collectif « 7 ans, 100 000 morts », en 2011, était d'obliger les autorités publiques à réagir. Sans manifester d'hostilité, leurs réponses ne donnaient pas de suite favorable à l'appel. Quatre destinataires du courrier, Xavier Bertrand, à l'époque ministre du Travail, de l'Emploi et de la Santé, Nora Berra, secrétaire d'État chargée de la Santé, le chef de cabinet du président de la République et le chef de cabinet du Premier ministre, ont répondu en reprenant le discours habituel des détrac-teurs du baclofène : Attendons les résultats des essais thé-rapeutiques. Ont-ils été mal conseillés ? Ou effrayés par le *modus operandi* de ceux qu'on leur a peut-être décrits comme « des excités du baclofène » ? Je tendrais à croire qu'ils ont été surtout attentifs au discours de ceux dont j'ai parlé précédemment (les responsables de structures de prise en charge de l'alcoolisme ainsi que les industriels concernés, sans même parler du lobby de l'alcool) ; sans doute ont-ils jugé que les perspectives économiques étant ce qu'elles sont, ce n'était pas le moment d'encourager des mesures susceptibles de mettre des gens au chômage. D'autant plus que les taxes sur l'alcool constituent une source non négligeable de revenus pour l'État. Mais, sur le plan économique justement, l'alcoolisme coûte à la collectivité à peu près l'équivalent du déficit annuel de la Sécurité sociale, et le baclofène devrait permettre d'économiser plusieurs milliards d'euros. Il est clair que l'ampleur des avantages financiers, pour la collectivité, de la généralisation de l'emploi du baclofène n'a pas été prise en compte. Et que les réponses reçues témoignaient d'un manque total de considération pour les malades pris au piège de l'alcool, et qui vont en mourir.

Je dois signaler que seules deux personnalités ont répondu de façon positive et encourageante (on pourrait dire « éthique ») à l'appel, Bernard Debré (médecin et parlementaire) et Didier Sicard (médecin, ancien président du Comité consultatif national d'éthique). Malheureusement, aucun des deux n'a de pouvoir décisionnel en matière de politique de la santé.

Où en est aujourd'hui la bataille du baclofène ?

Je la considère malgré tout comme presque gagnée. La situation des adversaires du baclofène est de plus en plus intenable. Un nombre croissant de médecins considèrent que guérir leurs malades est prioritaire : ils décident d'essayer le baclofène et le prescrivent à des patients qui ne répondent pas aux traitements habituels. Ils se rendent alors compte, très rapidement, qu'ils disposent d'un médicament extraordinaire. Ils continuent donc de le prescrire et en parlent à leurs collègues. Les collègues prescrivent, ils en parlent à d'autres, et le nombre de prescripteurs augmente d'une façon exponentielle. Les associations mettent la pression partout où elles le peuvent pour qu'on arrête de diaboliser le traitement, qu'on cesse d'amplifier ses effets indésirables. On en est là. Le mouvement est lancé, rien ne l'arrêtera.

Les associations Aubes et Baclofène disposent pour toute la France de listes de plusieurs centaines de médecins prescripteurs vers lesquels orienter les malades ; elles divulguent des noms et des adresses quotidiennement. Il y a actuellement des dizaines de milliers de malades dépendants à l'alcool qui ont été guéris par le traitement. Tout le monde le sait, les chiffres sont diffusés par les médias. *Le Nouvel Observateur* par exemple, qui avait commis un article destiné à discréditer les prescripteurs le 11 août 2011, a fait volte-face. Une série d'articles favorables au baclofène ont été publiés dans son numéro du 24 mai 2012, dont un qui signale 1 500 patients identifiés comme guéris. En réalité, dans toute la France, il y en a beaucoup plus.

À cela s'ajoute la littérature scientifique sur le baclofène, de plus en plus abondante. J'ai parlé des publications des Italiens qui ont démontré les effets du baclofène dans des études randomisées en double aveugle sur des séries de patients[25]. Je peux citer les nombreuses publications d'Olivier Ameisen, dans des grands journaux internationaux[26]. D'autres cas cliniques de malades guéris ont été publiés[27], ainsi que des études portant sur des séries de patients[28]. Moi-même, j'ai publié les résultats sur 100 de mes patients traités avec deux ans de recul[29]. Et surtout, la publication la plus prestigieuse et la plus incontestable est un article paru dans la revue *Science* en 2011, qui constitue une reconnaissance internationale sans appel de l'importance de la découverte d'Olivier Ameisen[30].

Comme je l'ai indiqué au début de cet entretien, la loi française stipule que la prescription de médicaments hors AMM doit se fonder sur les données acquises de la science. Il est devenu impossible de soutenir que la prescription de baclofène pour soigner l'alcoolisme ne correspond pas à l'état de la science. Il faut insister sur ce point : l'état de la science est tel, aujourd'hui, que les prescriptions de baclofène sont forcément autorisées. Les médecins n'ont aucunement besoin de l'autorisation de l'ANSM pour prescrire du baclofène : ce sont les données acquises de la science qui l'autorisent. La prescription de baclofène est légale dans ces conditions. On peut d'ailleurs signaler ici que notre Haute Autorité de santé, réputée pour ses attitudes toujours sourcilleuses, sinon jansénistes, dans ses recommandations de prescription, a préconisé l'utilisation hors AMM de certains médicaments dans le traitement de la substitution aux opiacés.

La prescription hors AMM, je le répète encore une fois, n'est nullement hors la loi.

Les adversaires du baclofène ont encore quelques munitions à leur disposition. Par exemple, les essais thérapeutiques chez les personnes très fragiles que sont les alcooliques ne sont pas sans risque. C'est pourquoi on peut s'attendre à des décès pendant les essais Alpadir et Bacloville. Et à ce que cela soit récupéré par les adversaires du baclofène, qui, triomphants, diront qu'il tue. Mais ce sera une honte. Parce qu'il est banal que des personnes décèdent au cours de ce type d'essai (il y en a eu deux au cours d'un essai publié récemment sur l'utilisation du nalméfène dans l'alcoolisme[31]). Les alcooliques sont des personnes très malades. Il est possible que des cas désespérés choisissent de participer à l'essai thérapeutique, et que l'entrée dans une étude clinique très rigoureuse et contraignante les mette en face d'une réalité à laquelle ils tentent depuis longtemps d'échapper, leur alcoolisme. La situation risque de réactiver leur culpabilité, conduisant certains au suicide. Toutefois, en cas de décès au cours des essais avec le baclofène, il sera impossible d'incriminer le médicament lui même. En quarante ans, c'est-à-dire après une utilisation chez des millions de personnes pendant des dizaines d'années, le baclofène n'a jamais tué personne. Il serait bien étonnant qu'il se mette à faire mourir des malades au cours d'un essai thérapeutique. S'il y a des morts, ce sera de dépression et de désespoir, pas à cause du baclofène.

Outre la capacité d'agiter un chiffon rouge les adversaires du baclofène disposent d'autres armes encore. Ils peuvent exercer des pressions au niveau des caisses de sécurité sociale pour qu'on refuse de le rembourser. Ils peuvent également freiner des dispositions existant dans la loi, et permettant d'autoriser la prescription de baclofène dans certaines conditions avant une extension d'AMM : les recommandations temporaires d'utilisation (RTU, décret 2012-740 du 9 mai 2012). Les RTU ont déjà été appliquées à plusieurs médicaments, et il serait bien naturel que le baclofène en bénéficie lui aussi. Des membres de l'ANSM y seraient favorables. L'ANSM pourrait se saisir de la RTU pour le baclofène et faire très rapidement avancer les choses. Mais on sait qu'autoriser la prescription de baclofène pourrait nuire aux essais thérapeutiques en cours et aux industriels. En effet, si on l'autorise, même restrictive et réglementée dans le cadre des RTU, les patients n'auront plus de raison d'entrer dans les études puisqu'ils pourront disposer facilement du traitement. En pratique, il va sans doute falloir attendre la fin des études (Bacloville et Alpadir) pour autoriser le baclofène. C'est une sorte d'effet paradoxal : on fait ces essais thérapeutiques pour justifier l'autorisation de prescription de baclofène alors qu'ils sont totalement inutiles, puisqu'ils ont déjà été faits par les Italiens il y a dix ans ; en même temps, ils retardent considérablement son autorisation de prescription.

Les essais thérapeutiques actuels ne servent ainsi que des intérêts industriels. Par exemple, les Laboratoires Ethypharm, promoteurs de l'étude Alpadir, préparent une nouvelle forme de baclofène (une forme plus dosée que la forme actuelle), dont la commercialisation se fera dans plusieurs années : attendre la fin des études, les analyser, publier les résultats, préparer un dossier, le soumettre, s'entendre sur le prix, etc., tout cela permet de retarder l'autorisation de prescription du baclofène jusqu'à la commercialisation de cette nouvelle forme. Leur intérêt est donc de bloquer l'obtention d'une RTU pour le médicament actuel jusqu'à la date de commercialisation de leur produit. On peut imaginer que ce sont les Laboratoires Ethypharm qui ont entre leurs mains la RTU pour le baclofène. On en aurait donc pour encore quelques années.

La généralisation de l'accès à ce traitement viendra certainement. Ce n'est qu'une question de temps. En attendant, trop de malades meurent de leur alcoolisme, même si les médecins sont de plus en plus nombreux à le prescrire, à leurs risques et périls. Le mouvement est irréversible. La France n'est pas seule concernée ; à l'étranger, l'autorisation tarde encore à se manifester, les intérêts anti-baclofène veillent.

Je ne sais pas s'il n'y a qu'en France que l'on trouve des Ameisen et des Joussaume, mais il y a tout lieu d'être fier. C'est l'Internationale du baclofène qu'il faut maintenant créer.

ANNEXES

1

Premier bilan

J'ai institué un traitement par le baclofène chez plus de
400 patients. Un certain nombre d'entre eux ne sont pas
revenus me voir après la première rencontre, et j'ignore ce
qu'ils sont devenus. Mais la grande majorité de mes patients
sont revenus et je les ai suivis jusqu'à l'obtention d'un résultat tangible (succès ou échec); le plus souvent, un médecin
traitant a ensuite pris le relais.

Il n'existe pas d'analyse statistique détaillée pour la totalité
des patients à qui j'ai prescrit du baclofène, il faudrait du recul
pour cela et celui-ci manque dans de nombreux cas. Je n'ai pas
non plus suivi avec attention tous les patients qui, après
quelques mois, se sont adressés à d'autres médecins. Il faut
savoir que pendant les années 2008-2010, on ne trouvait que
très peu de prescripteurs, que les malades venaient me voir de
toute la France, souvent de très loin, parfois de l'étranger.
Mais progressivement, à partir de 2011, les médecins (surtout
des généralistes) acceptant de prescrire le médicament étant
plus nombreux, j'ai concentré mon étude, analyses statistiques
à l'appui, sur les 100 premiers patients dont je suis sûr qu'ils
ont pris leur traitement pendant au moins 3 mois. Des

patients réellement observants, donc, car la question importante était de savoir si le baclofène était efficace. Ceux qui prenaient mal le médicament, ou pas du tout, ont été exclus des analyses.

Sur les 100 premiers patients observants de leur traitement, j'ai fait des statistiques à 3 mois, 6 mois, 1 an et 2 ans. Pour juger de leur évolution, j'ai utilisé les critères de l'Organisation mondiale de la santé (OMS) qui répartissent les personnes étudiées en trois groupes : le groupe « à faible risque » où se situent celles qui font une consommation « normale » d'alcool, c'est-à-dire qui consomment moins de 40 grammes d'alcool par jour pour les hommes et 20 grammes pour les femmes (un verre de vin correspond à 10 grammes d'alcool) ; le groupe « à risque modéré » (41 à 60 grammes d'alcool pour les hommes et 21 à 40 grammes d'alcool pour les femmes) ; et le groupe « à haut risque » (plus de 60 grammes d'alcool pour les hommes et 40 grammes pour les femmes).

Avant la mise en route du traitement, les 100 patients étaient tous dépendants à l'alcool, et entraient dans la catégorie « à haut risque ».

Les résultats ont été les suivants :

– À 3 mois de traitement, 50 % des patients ne buvaient plus, ou très peu, c'est-à-dire qu'ils exerçaient un contrôle complet sur leur consommation d'alcool, et étaient entrés dans la catégorie OMS « à faible risque » ; 34 % avaient considérablement baissé leur consommation, mais n'exerçaient qu'un contrôle incomplet sur leur prise de boisson, et entraient dans la catégorie « à risque modéré » ; les 16 % restants avaient insuffisamment, ou n'avaient pas du tout, modifié leur consommation d'alcool, et étaient toujours catégorisés « à haut risque ».

– À 6 mois, 52 % des patients entraient dans la catégorie « à faible risque », ce qui correspond à l'entrée dans cette catégorie de plusieurs patients qui se situaient dans une autre catégorie à 3 mois. Autrement dit, il s'agissait de patients à qui il a fallu plus de 3 mois pour parvenir à un contrôle complet sur leur prise d'alcool (quelques patients, moins nombreux, ont rechuté entre 3 et 6 mois, et sont entrés dans les autres catégories) ; 18 % entraient dans la catégorie « à risque modéré » : ce chiffre est presque deux fois inférieur à celui à 3 mois, ce qui signifie que beaucoup de patients qui, malgré le baclofène, n'étaient pas parvenus à cesser complètement de boire avaient rechuté ; et 27 % se retrouvaient dans la catégorie « à haut risque », en nette augmentation comparativement à 3 mois : ils avaient rechuté même si beaucoup d'entre eux avaient éprouvé les effets anti-craving du baclofène.

– À 1 an, le nombre de patients à faible risque a légèrement baissé (48 % au lieu de 52 %), ainsi que le nombre de patients « à risque modéré » (15 % au lieu de 18 %), alors que le nombre de patients « à haut risque » a légèrement augmenté (29 % au lieu de 27 %), témoignant de quelques rechutes. Mais ce sont surtout les « perdus de vue » qui ont augmenté, on peut en penser qu'ils ont rechuté, même si ce n'est pas absolument certain.

– À 2 ans, les chiffres restent relativement stables, avec 50 patients appartenant à la catégorie « à faible risque » et 12 patients à la catégorie « à risque modéré ».

Le principal enseignement de ces observations est la grande stabilité des patients « guéris » grâce au baclofène : 50 % des patients à 3 mois, 50 % à 2 ans ; de même pour les chiffres qui indiquent le passage d'un groupe à l'autre : le nombre de patients qui rechutent s'équilibre avec le nombre de ceux qui mettent plus de temps à guérir.

Le nombre de « perdus de vue » (patients injoignables, personnellement ou par l'intermédiaire de leur médecin traitant) a augmenté progressivement, il atteint le chiffre de 11 à 2 ans. Il faut y ajouter deux patients décédés (pour des causes indépendantes du baclofène). Les arrêts de traitement ont aussi progressivement augmenté, pour atteindre 45 % à 2 ans. Ces arrêts concernent essentiellement les patients pour lesquels le traitement a échoué, mais j'ai déjà mentionné que 10 patients « à faible risque » (sur 50) avaient, à 2 ans, arrêté leur traitement parce qu'ils n'en avaient plus besoin. Ce qui indique que des patients qui ont arrêté de boire grâce au baclofène peuvent ensuite arrêter le traitement lui-même. Je pense que l'on peut dire de ces patients qu'ils sont « guéris », ce qui n'empêche pas qu'ils restent exposés à des rechutes éventuelles.

Le nombre de patients qui ont ressenti que le baclofène diminuait leur envie de boire, ou les rendait plus ou moins indifférents à l'alcool atteint 92 %. Il s'agit des patients qui ont rapporté avoir éprouvé les effets de ce changement. Ce chiffre est intéressant à analyser. Il signifie que plus de 9 patients sur 10 ont senti une réduction de leur craving, quand 5 sur 10 seulement ont arrêté de boire. Ce qui implique que la réduction du craving n'est pas le seul élément qui conduit à l'arrêt de la boisson. Autrement dit, il y a d'autres déterminants (culturels, psychologiques, rituels, environnementaux) sur lesquels il convient de travailler pour compléter l'effet du baclofène. En particulier, les patients sont souvent capables de diminuer considérablement leur consommation d'alcool, voire de l'arrêter complètement grâce au baclofène, mais il suffit d'un événement stressant, voire d'un état anxieux survenu même en dehors de tout stress (anticipation ou amplification imaginaire d'un événement qui n'existe pas dans la réalité par exemple) pour qu'une rechute se produise, et que le baclofène apparaisse inopérant.

Restent les patients qui disent que le baclofène ne change rien pour eux : 8 cas dans cette série de 100 patients. Pour la plupart, la dose quotidienne du médicament a été portée jusqu'à plus de 300 milligrammes. On peut imaginer qu'une dose supérieure aurait été nécessaire (je rappelle que certains patients deviennent indifférents à l'alcool à des doses qui dépassent 400 ou même 500 milligrammes). Mais nous n'en savons rien.

J'ajouterai pour être complet que les patients qui sont passés de la catégorie « à haut risque » à celle « à risque modéré » ont tiré un réel bénéfice du baclofène : de tels sujets seraient considérés comme ayant répondu favorablement au traitement dans n'importe quel essai clinique.

En résumé, les principales conclusions que l'on peut tirer de cette première étude sont que :

1. les effets suppresseurs du baclofène sur le craving sont ressentis par plus de 9 patients sur 10 ;

2. le baclofène a une efficacité complète chez 50 % des patients (tous en situation d'échec après avoir suivi des traitements de désintoxication et tous gravement dépendants à l'alcool au début du traitement) ; l'inefficacité du baclofène, quand elle se produit, est souvent liée au fait que les patients n'ont pas pu augmenter suffisamment les doses ;

3. les « guérisons » sont remarquablement stables avec le temps (même pourcentage de patients « guéris » à 3 mois et à

2 ans). Cette stabilité n'a jamais été observée avec aucun autre médicament de l'alcoolisme.

D'autres enseignements peuvent être tirés de cette étude. Ils concernent les effets secondaires, très fréquents en début de traitement, mais qui ont pratiquement tous disparu à 2 ans (des accès de fatigue dans l'heure qui suit la prise de baclofène continuent parfois de se manifester, mais d'une façon très modérée, de même que, plus rarement, la persistance d'une insomnie). Ils montrent aussi que les patients qui ne boivent plus grâce au baclofène ont le plus souvent pu arrêter la plupart des médicaments qu'ils prenaient, en particulier ceux de type anxiolytique ou antidépresseur (en dehors des cas où existait une maladie psychiatrique avérée concomitante).

Je signale que cette étude sur 100 cas a été publiée (de Beaurepaire, 2012).

Ce premier bilan porte sur les patients traités pendant les années 2008 à 2010. Les résultats obtenus depuis sont bien meilleurs et la proportion de guérison de 8 malades sur 10 paraît désormais pouvoir être obtenue.

2

Les précautions à prendre

Le baclofène est un myorelaxant. On respire avec des muscles et quand on relaxe les muscles respiratoires, la capacité respiratoire diminue. Il faut donc s'assurer que les patients ne présentent pas de problème sur ce plan. Si un patient présente une insuffisance respiratoire, il faudra être très prudent. Cela ne contre-indique pas le baclofène, mais cela implique que la montée des doses devra être plus lente et qu'elle sera davantage surveillée. Les insuffisances respiratoires ne sont pas exceptionnelles chez les alcooliques qui sont souvent fumeurs, gros fumeurs même, et la fréquence des problèmes respiratoires chez les fumeurs est bien connue.

Un problème qui se pose avec le baclofène sur le plan respiratoire est celui des apnées du sommeil. Il s'agit de la question peut-être la plus délicate que l'on ait à résoudre quand on voit un patient pour la première fois. Il faut être très prudent pour ce qui est des patients qui présentent des apnées du sommeil, car le baclofène peut favoriser des arrêts respiratoires nocturnes de plus en plus longs. Tous les médicaments qui sont des dépresseurs respiratoires (comme les benzodiazépines et les opiacés) sont susceptibles d'aggraver ces apnées, le baclofène

173

comme les autres. Souvent le patient ignore s'il a des apnées du sommeil ou non. Quelques éléments doivent y faire penser : obésité, tabagisme, inactivité, somnolence diurne, fréquents besoins d'uriner pendant la nuit, impression de mal dormir ou d'avoir un sommeil non réparateur. Le conjoint, s'il y en a un, peut témoigner des ronflements et des pauses respiratoires. En cas de doute, on peut adresser le patient à un centre du sommeil – il y en a plusieurs à Paris et dans la région parisienne, ils sont plus difficiles à trouver dans certaines régions de France. Le spécialiste du sommeil pourra décider de traiter le patient avec un système de ventilation nocturne à pression positive. Le baclofène ne posera alors plus de problème.

Il importe également de contrôler la fonction rénale. Le baclofène est presque totalement éliminé par le rein, et toute insuffisance rénale provoque une accumulation de la molécule dans le sang, avec un risque de toxicité. Les insuffisances rénales ne sont pas des maladies très courantes, aussi n'est-il pas nécessaire de s'assurer de leur absence par des examens biologiques avant la mise sous baclofène, mais il faut toujours demander au patient s'il a une maladie de rein. Il est en revanche recommandé, au moment de l'institution du traitement, de doser la créatinine, un témoin du fonctionnement rénal.

Le baclofène est également un dépresseur de la pression artérielle. Cela implique d'être prudent chez les personnes qui présentent des problèmes cardio-vasculaires. Chez celles qui en ont d'importants, une insuffisance cardiaque par exemple, il faut agir avec prudence, augmenter très lentement les doses, et, c'est un avis personnel, ne pas donner de fortes doses. Les personnes qui souffrent d'hypertension artérielle et qui sont traitées par des antihypertenseurs présentent un problème particulier : le baclofène potentialise les effets des antidépresseurs, il se peut qu'il fasse trop baisser la tension. Un moment d'hypotension n'est pas un événement grave (ce sont les hypertensions qui peuvent l'être), mais les patients qui sont sous antihypertenseurs doivent néanmoins surveiller leur tension, et éventuellement adapter leur traitement.

D'autres précautions sont à prendre, d'où l'importance de l'interrogatoire à mener avant de prescrire. Si les patients ont des maladies digestives, le baclofène peut réactiver la douleur chez ceux qui présentent un ulcère gastrique ou duodénal. Pour ceux qui souffrent d'épilepsie, il faut s'assurer que celle-ci est bien contrôlée par un traitement ; en effet, le baclofène est épileptogène, et il peut être nécessaire de renforcer un traitement antiépileptique lorsque celui-ci est associé au baclofène. Des cas ont été rapportés de crise d'épilepsie chez des patients sous baclofène qui n'avaient auparavant jamais eu de troubles de ce type.

Le baclofène agit aussi sur l'humeur, il peut déclencher des états maniaques ; l'état maniaque est un symptôme de la maladie maniaco-dépressive (ou maladie bipolaire, ou psychose maniaco-dépressive). Il faut s'assurer que les patients, s'ils souffrent de ce type de maladie, sont bien traités pour cela (le traitement le plus classique est le lithium, mais il en existe d'autres).

D'autres considérations doivent être prises en compte. Le baclofène relaxe les sphincters et le patient doit en être informé ; son traitement peut être à l'origine d'incontinences. Des patients peuvent vouloir interrompre le leur en raison de problèmes d'incontinence jugés insupportables. Et le baclofène peut également aggraver d'autres troubles urinaires préexistants. Il pourrait encore avoir une légère toxicité sur le foie ; celle-ci est possible, sans doute très mineure, et de toute façon infiniment moindre que celle de l'alcool ; il est néanmoins très recommandé d'effectuer un bilan hépatique au moment où on commence un traitement par le baclofène : les transaminases, en particulier les gamma-GT, sont assez caractéristiques d'une toxicité hépatique de l'alcool, et de faire ensuite itérativement des examens de contrôle. Il est habituel de demander aussi dans le bilan initial le dosage de la CDT (*carbohydrate-deficient transferrin*), qui est un témoin de la prise d'alcool au cours des derniers jours ou semaines ; CDT et gamma-GT sont intéressantes à doser épisodiquement pour suivre, en cas de succès du baclofène, la diminution de la souffrance hépatique (normalisation des gamma-GT), et l'arrêt de la prise d'alcool (normalisation de la CDT) ; mais il faut savoir que les gamma-GT ne constituent pas une méthode totalement fiable pour évaluer les effets toxiques de l'alcool sur le foie : certaines personnes gardent des gamma-GT normales alors qu'elles consomment de grandes quantités d'alcool, et, inversement, il existe des faux positifs, c'est-à-dire des personnes qui ont des gamma-GT élevées alors qu'elles ne consomment pas d'alcool.

Le baclofène est théoriquement contre-indiqué (je ne suis pas sûr que ce soit une contre-indication absolue) dans une maladie heureusement très rare qui s'appelle la porphyrie, une maladie liée à une anomalie située dans une voie métabolique qui conduit à l'accumulation dans l'organisme d'une substance toxique, la porphyrine ; c'est une maladie que l'on reconnaît en général dans l'enfance, et il faut toujours interroger les patients à ce sujet. Le baclofène n'est pas recommandé chez les personnes qui souffrent d'une maladie de Parkinson (il peut majorer les effets indésirables des médicaments utilisés dans le traitement de la maladie comme la Levodopa). Il faut aussi demander au patient s'il souffre d'une intolérance au gluten parce que les comprimés de baclofène contiennent de l'amidon de blé. Enfin, il faut s'assurer d'une contraception efficace chez les femmes en âge de procréer, et les prévenir que le baclofène peut provoquer des malformations chez le fœtus, encore que cela n'ait jamais été observé chez la femme, mais seulement en expérimentation animale (il ne faut cependant prendre aucun risque et, s'il arrivait qu'une femme commence une grossesse alors qu'elle est sous baclofène, il faut immédiatement arrêter le traitement et demander une surveillance renforcée, quitte à reprendre le baclofène à partir du deuxième mois de grossesse).

Quand on lit les recommandations d'utilisation (RCP) du baclofène, il apparaît aussi qu'il est conseillé d'être prudent chez les personnes qui souffrent de diabète. Je dois dire que je n'ai jamais très bien compris pourquoi. Le baclofène agit au niveau du pancréas et interagit avec la libération d'insuline, mais ni plus ni moins que nombre d'autres médicaments qui agissent sur les neurotransmetteurs. Dans le cas du baclofène, c'est beaucoup plus évident chez l'animal que chez l'homme. Il a par ailleurs été dit que le baclofène pouvait avoir des effets protecteurs sur le pancréas, qu'il pourrait même prévenir le cancer du pancréas (le diabète, avec le tabac et l'alcool, fait partie des facteurs de risque du cancer du pancréas) même s'il faut prendre avec la plus grande prudence ces éléments qui reposent seulement sur une étude in vitro[32], donc très loin de la clinique. Mais il a aussi été montré que le baclofène retarde la survenue d'un diabète chez la souris[33], et fait maigrir aussi bien la souris[34] que l'homme[35], ce qui est à l'opposé d'un effet diabétogène. Certains recommandent d'être particulièrement prudent avec le baclofène chez les diabétiques, mais il est probablement inutile d'inquiéter les patients.

3

Les effets indésirables

Le premier effet indésirable, la somnolence, est en soi un événement très bénin, mais il peut être grave s'il survient à un moment où le patient conduit un véhicule ou utilise des outils dangereux. La somnolence peut aussi être très préoccupante quand elle s'accompagne d'autres symptômes tels qu'un malaise, des vertiges, une confusion mentale, etc. Les patients risquent alors d'arrêter leur traitement, ce qui compromet leur guérison.

On sait que les effets indésirables apparaissent presque toujours au moment d'une augmentation de dose et à n'importe quel moment de la progression du traitement. Plus on augmente les doses rapidement, plus des effets indésirables risquent d'apparaître. D'où la nécessité d'une bonne observance des paliers et des stratégies mises en œuvre pour faire face aux effets secondaires en étroite collaboration avec les patients.

Le baclofène est responsable de bien d'autres effets secondaires que la somnolence. On a déjà signalé parmi les précautions à prendre par le médecin les effets respiratoires, cardio-vasculaires, épileptogènes et activateurs des douleurs ulcéreuses digestives, du baclofène. Il donne fréquemment des troubles digestifs tels que des nausées, des vomissements (rarement), des diarrhées, rares aussi, mais qui peuvent être très gênantes, parfois une constipation. Le baclofène peut aussi provoquer une anorexie (diminution de l'appétit) et des modifications du goût des aliments. Le baclofène est d'ailleurs capable de modifier tous les messages sensoriels : modifications du goût, de l'audition (survenue d'acouphènes – des bruits dans les oreilles, comme des clics, ou des sifflements –, les acouphènes surviennent très fréquemment sous baclofène), troubles tactiles (que l'on appelle paresthésies, qui sont des sensations de picotements ou de fourmillements dans les doigts et les mains, ou dans d'autres parties du corps), et troubles de la vue (baisse momentanée de la vue). Il peut aussi provoquer des hallucinations. Il faut souligner que ces troubles sensoriels sont totalement dépourvus de gravité, ils disparaissent quelques heures après la prise de baclofène, et pourraient être liés à une action directe, transitoire et non toxique du baclofène sur les voies sensorielles (où existent des récepteurs GABA-B, ceux sur lesquels agit le baclofène). Le baclofène a aussi des propriétés analgésiantes et hyperalgésiantes, il peut diminuer certaines douleurs et en provoquer d'autres (maux de tête et douleurs articulaires notamment). Le baclofène peut aussi provoquer des variations de l'humeur qui ont deux versants, le versant maniaque et le versant dépressif; le baclofène a manifestement un effet activateur sur l'humeur, c'est-à-dire qu'il produit fréquemment ce que l'on appelle des états hypomaniaques; l'hypomanie est un état d'activation psychomotrice, avec généralement une sensation de clarté d'esprit et de bien-être, avec une tendance à être hyperactif et entreprenant, et elle est souvent associée à une insomnie. Rarement, le baclofène déclenche d'authentiques états maniaques, il s'agit en règle générale de patients connus pour être bipolaires. Il est possible aussi que le baclofène déclenche des états dépressifs (l'inverse de la manie) ; il est toujours très difficile chez un malade qui souffre d'alcoolisme et qui est traité par le baclofène de savoir si la survenue d'un état dépressif est à attribuer au baclofène ou à une autre cause : en effet, la dépression est une complication extrêmement fréquente de l'alcoolisme. Le tabagisme, très fréquemment associé à l'alcoolisme, est une cause reconnue de dépression et de suicide, et les modifications existentielles provoquées par l'instauration d'un traitement par le baclofène peuvent très bien amener un patient à se déprimer ; cela dit, il n'est pas du tout exclu que le baclofène ait un effet dépressogène propre, des études devraient explorer cette hypothèse ; personnellement, j'ai eu un certain nombre de patients que j'ai vus se déprimer sous baclofène, tous avaient de lourds antécédents de dépression, et je n'ai jamais pu décider si ces dépressions étaient attribuables au baclofène ou à une autre cause.

Les troubles du sommeil constituent des troubles assez fréquents dus au baclofène ; un grand nombre de patients disent qu'ils dorment mieux avec le médicament, mais un certain nombre souffrent d'insomnies parfois très marquées. Les troubles sexuels, ou modifications de ce qui a trait à l'activité sexuelle, sont aussi assez fréquents ; cela peut aller dans les deux sens, augmentation de l'activité sexuelle, des performances sexuelles et du plaisir, ou au contraire diminution de la libido et du plaisir, et troubles de l'érection chez l'homme.

En vrac, j'ai observé un nombre considérable d'autres effets indésirables du baclofène : des œdèmes de la face et des membres, des sueurs, des bouffées de chaleur, des sensations de décharges électriques (dans la tête et dans le corps), un symptôme bizarre qui est le fait de « laisser tomber des objets » (probablement lié à une hypotonie musculaire), des difficultés pour parler (dysarthrie), une diplopie (vision double), des troubles de la mémoire, des palpitations, une hypersialorrhée (production excessive de salive), des éruptions cutanées (bénignes, qui disparaissent en quelques jours), des sensations d'écrasement (de la tête ou d'autres parties du corps), une appétence soudaine pour le sucre, un goût métallique dans la bouche, des gains et des pertes de poids (on explique les pertes de poids par le fait que l'alcool contient beaucoup de sucre, et que les personnes qui ne boivent plus en consomment donc beaucoup moins, mais d'autres mécanismes pourraient entrer en jeu, en particulier l'effet anorexigène du baclofène dont on a parlé ; quant à la prise de poids, il peut s'agir d'une compensation par les aliments chez ceux qui ont arrêté de boire), une survenue d'épisodes d'irritabilité (parfois violente, j'ai eu un patient qui a arrêté le baclofène parce que cela déclenchait chez lui des crises terribles de colère, d'agressivité et même de violence), une paranoïa (j'ai eu plusieurs patients qui se sont mis à se sentir persécutés, qui se sont mis à croire que les gens dans la rue parlaient d'eux et faisaient des gestes à leur intention), des accès de cris (une de mes patientes sous baclofène s'est mise à avoir des accès de cris de façon brutale et incontrôlée, très violents, les cris ont cessé avec l'arrêt du baclofène). Un de mes collègues me disait : « On voit tout avec le baclofène », c'est un peu ce que j'ai observé.

Néanmoins, il faut insister sur le fait que ces troubles sont pratiquement toujours transitoires, ils disparaissent au bout de quelques semaines, parfois de quelques mois. Mais certains symptômes (par exemple l'incontinence, certains cas de diarrhées) sont tellement gênants que les patients préfèrent arrêter le traitement. Beaucoup des effets secondaires que l'on a vus sont aussi accessibles à un traitement symptomatique. Il existe des traitements très efficaces contre la diarrhée, la constipation, les nausées et les vomissements. J'ai des collègues (je ne le fais pas moi-même) qui donnent des médicaments psychostimulants de type modafinil (Modiodal®) ou adrafinil (Olmifon®) chez les patients qui sont trop fatigués ou assoupis par le traitement. Enfin, il ne faut pas oublier d'être attentif au traitement antiépileptique chez les épileptiques, au traitement thymorégulateur chez les bipolaires qui ont des antécédents de manie aiguë, et au traitement spécifique des patients qui présentent des apnées du sommeil. Éventuellement, on peut renforcer les traitements antimaniaques et antiépileptiques pour plus de sécurité. Je signale néanmoins que j'ai eu un cas d'épilepsie chez une personne qui n'avait jamais présenté d'épilepsie auparavant ; on a récemment rapporté (Rolland *et al.*, 2012) le cas d'un patient qui n'avait aucun antécédent d'épilepsie et qui a présenté une crise d'épilepsie « de novo » sous baclofène (240 milligrammes) ; les auteurs pensent qu'il est difficile de croire que leur patient a eu une crise d'épilepsie uniquement à cause du baclofène, et qu'il s'agit plus vraisemblablement d'une interaction alcool-baclofène ; je tendrais à penser que c'est la même chose qui s'est produite chez ma patiente.

Dans un tout autre registre, il est aussi intéressant de remarquer que beaucoup des symptômes produits par le baclofène (en particulier la somnolence, les acouphènes, les paresthésies, certains troubles digestifs) sont des effets secondaires habituels de l'alcool, c'est-à-dire très souvent présents à la suite d'une prise d'alcool (ce qui soulève la question d'éventuelles parentés d'action entre l'alcool et le baclofène).

4

Ce qu'on sait de l'action du baclofène
sur le cerveau

Le baclofène agit sur un récepteur présent dans le cerveau, le récepteur GABA-B. Un récepteur est un site de fixation d'une molécule, quelle qu'elle soit : médicament, neurotransmetteur, ou l'alcool, par exemple, qui se fixe sur certains récepteurs dans le cerveau. Le GABA est un neurotransmetteur présent en grande quantité dans le cerveau, et qui se fixe sur deux types spécifiques de récepteurs, le récepteur GABA-A et le récepteur GABA-B. Quel lien peut-il y avoir entre la fixation du baclofène sur les récepteurs GABA-B et son effet thérapeutique dans l'alcoolisme ? La réalité est qu'on ne le sait pas. Autrement dit, les liens entre GABA-B et alcoolisme sont aujourd'hui un mystère complet. En effet, le constat de l'efficacité du baclofène ne s'accorde pas du tout avec les hypothèses classiques ou actuelles du traitement de l'alcoolisme. D'autres hypothèses doivent donc être envisagées.

Pour ceux que cela intéresserait, on peut essayer d'éclaircir, dans les paragraphes qui suivent, quelques points concernant le baclofène et son action sur le cerveau :

– D'où vient le baclofène ?

– Qu'est-ce que le récepteur GABA-B ?

— Quelle est l'action de l'alcool sur le récepteur GABA-B ?

— Quelle est l'action de l'alcool sur les autres récepteurs ?

— Quel rôle joue la dopamine dans les addictions ?

— Comment s'opère la mise en place des addictions dans le cerveau ?

— Quelles sont les hypothèses possibles sur le mode d'action du baclofène ?

— Ce que nous apprend l'utilisation clinique du baclofène dans l'alcoolisme.

— L'activation du récepteur GABA-B par le baclofène.

D'où vient le baclofène ? Le baclofène est une molécule qui, je le rappelle, a été synthétisée en 1962. L'intention des chercheurs qui ont synthétisé la molécule était d'en obtenir une qui ressemble au GABA (acide gamma-amino butyrique), mais qui pénètre mieux que celui-ci dans le cerveau. Le GABA est un neurotransmetteur présent en très grandes quantités dans le cerveau (environ 40 % des récepteurs présents dans le cerveau sont des récepteurs au GABA, ce qui est énorme puisqu'il y a autour de 100 milliards de neurones dans le cerveau, et que chaque neurone a sur lui plusieurs centaines de milliers de récepteurs). Le GABA est indispensable dans nombre de processus physiologiques, et en particulier dans le contrôle des neurones moteurs dans la moelle. Les personnes qui ont des lésions de la moelle présentent souvent des mouvements spasmodiques (spasmes musculaires, liés à des lésions des neurones moteurs) et il a été établi expérimentalement que l'augmentation du GABA au contact des neurones moteurs de la moelle diminue les spasmes musculaires. Mais le GABA administré par voie périphérique (comme un médicament), ne pénètre pas dans la moelle. C'est pour cela que l'on a synthétisé le baclofène, qui ressemble au GABA (on dit qu'il est un analogue du GABA), et qui pénètre mieux dans la moelle (on dit qu'il passe la barrière hémato-encéphalique). Dès 1967, il a été montré que le baclofène constituait un bon traitement des spasmes musculaires qui surviennent chez les personnes qui ont des lésions de la moelle (Birkmayer *et al.*, 1967). Et on s'est aperçu plus tard que le baclofène agissait spécifiquement sur un sous-type du récepteur au GABA, le récepteur GABA-B.

Qu'est-ce que le récepteur GABA-B ? Le GABA, cet acide gamma-amino butyrique, agit sur des récepteurs qui sont de deux types, GABA-A et GABA-B (et aussi un récepteur GABA-C, mais qui a moins d'importance). Ces deux types diffèrent par leur structure et leurs propriétés, mais ils ont en commun d'être des récepteurs inhibiteurs, ce qui veut dire que quand on les active, ils bloquent l'activité du neurone sur lequel ils sont.

Le récepteur GABA-A est très bien connu, sa structure a été mise en évidence en 1988 (par clonage), c'est le récepteur sur lequel agissent les benzodiazépines (de type Valium, Lexomil, Seresta, etc.) et les barbituriques (comme le Gardenal).

Le GABA-A a aussi un site de fixation de l'alcool, c'est même une des principales cibles de l'alcool dans le cerveau. Or le récepteur GABA-B est très différent du GABA-A. C'est un récepteur extrêmement complexe, dont les chercheurs ont eu énormément de mal à identifier la structure (cloné en 1997) : c'est en fait un double récepteur, avec des longues protéines entremêlées, intriquées, spiroïdées, qui font qu'encore aujourd'hui on a beaucoup de mal à comprendre son fonctionnement.

L'action de l'alcool sur le récepteur GABA-B. L'alcool ne semble pas agir sur les récepteurs GABA-B. Ou s'il agit sur eux, ce serait d'une façon indirecte, peut-être par l'intermédiaire de canaux calciques ou par des interactions avec d'autres neurotransmetteurs. Mais on ne connaît pas d'action directe de l'alcool sur les GABA-B. D'un autre côté, on connaît encore mal les récepteurs GABA-B. C'est là une question extrêmement importante, parce que si l'on peut démontrer que l'alcool agit directement ou indirectement sur les GABA-B, alors on peut soulever l'hypothèse selon laquelle le baclofène est peut-être un traitement de substitution dans l'alcoolisme. Sinon on ne le peut pas (ou seulement en redéfinissant la substitution, comme on l'a dit p. 108).

L'action de l'alcool sur les autres récepteurs. L'alcool a un grand nombre de cibles dans le cerveau, la première étant, comme on l'a vu, le récepteur GABA-A. Mais l'alcool agit aussi sur les récepteurs sérotoninergiques 5HT3, des récepteurs glutamatergiques, des canaux calciques et potassiques, des récepteurs aux endocannabinoïdes et aux opiacés, sur l'adénosine, sur des protéines G, des protéines-kinases, etc. Et surtout l'alcool agit indirectement (par de nombreuses voies) sur les neurones dopaminergiques (neurones qui synthétisent un neurotransmetteur qui s'appelle la dopamine).

Le rôle de la dopamine dans les addictions. La dopamine est un neurotransmetteur, elle agit sur des récepteurs dopaminergiques. Le système dopaminergique est constitué par un tout petit groupe de neurones (quelques milliers) et il a une importance fonctionnelle immense : il contrôle les expériences de plaisir – le plaisir d'exister, d'apprendre, de faire des expériences, de répéter les expériences qui font plaisir, etc. Il a donc un rôle central dans le fonctionnement psychique. Il existe chez les espèces les plus primitives, et constitue une sorte d'aiguillon de la vie. Consommer des drogues consiste simplement à utiliser un moyen exogène (la drogue) pour éprouver un plaisir que des activations endogènes (liées aux satisfactions de la vie quotidienne) devraient normalement satisfaire. Toutes les drogues, dont l'alcool, activent ce système, qui a un rôle central dans la biologie des addictions.

Que sait-on de la mise en place des addictions dans le cerveau ? La dépendance aux drogues, dont l'alcool, se met en place progressivement, schématiquement en trois phases. La première phase est celle des premières expériences de la drogue, où son utilisation est festive et vécue comme une expérience de liberté ; les systèmes dopaminergiques sont impliqués de façon primaire au cours de cette phase ; le sujet reste libre de s'arrêter à tout moment. La deuxième est une phase de transition vers la dépendance, le besoin de prendre de la drogue devient plus insistant, les doses nécessaires augmentent, et le sujet est moins libre d'arrêter la drogue quand il veut ; et sur le plan neurobiologique, l'activité des systèmes dopaminergiques se modifie, se fixe progressivement dans un autre type de fonctionnement, et des systèmes autres que le système dopaminergique entrent en jeu, qui sont des systèmes de mémorisation des expériences de plaisir, qui associent expérience de plaisir et recherche de drogue, c'est-à-dire qui lui donnent un sens. Ceux-là sont situés dans d'autres régions du cerveau, que l'on appelle le système limbique. Dans la troisième phase, la recherche de drogue est compulsive, le sujet n'a plus aucune possibilité d'échapper au besoin de se procurer de la drogue, il en est devenu l'esclave ; sur le plan neurobiologique, cela correspond à des modifications très fixes et rigidifiées dans l'organisation du cerveau, dans une région qui s'appelle le striatum dorsal, qui est impliqué dans la compulsion à répéter des comportements ; la dépendance est devenue une véritable maladie organique. L'addiction n'est plus un plaisir, mais une souffrance.

Les hypothèses possibles sur le mode d'action du baclofène. Le traitement par le baclofène produit une indifférence à l'alcool. Cette indifférence est obtenue en augmentant progressivement les doses, jusqu'à ce qu'apparaisse cette indifférence. Il y a donc une notion de seuil, qui signifie qu'à partir d'un certain seuil d'activation des récepteurs GABA-B, des systèmes impliqués dans l'addiction se trouvent inactivés. Ces systèmes peuvent être les systèmes dopaminergiques, que l'on pense responsables du craving, mais aussi les systèmes de mémorisation limbique, que l'on pense responsables de l'association entre un indice environnemental (la vue d'une bouteille par exemple) et l'envie de boire, et les systèmes de la compulsion à boire, situés dans le striatum. La question des liens entre les récepteurs GABA-B et la suppression du craving, l'indifférence à l'alcool, et la suppression des compulsions n'est pas résolue actuellement.

Ce que nous apprend l'utilisation clinique du baclofène dans l'alcoolisme. On ne demande généralement pas aux patients traités par le baclofène de s'arrêter de boire quand on commence le traitement. Ce qui fait que chez ceux qui répondent favorablement au baclofène, le sevrage en alcool correspond au moment où ils deviennent indifférents à l'alcool. Mais je n'ai jamais observé de syndrome de sevrage chez ces patients, autrement dit, ils ne présentent pas les symptômes qui sont habituellement contemporains du sevrage rapide (anxiété, trémulations, sueurs, malaises). Cela peut signifier que le baclofène protège contre le syndrome de sevrage. Dans cette hypothèse, le baclofène aurait certains effets similaires à ceux de l'alcool dans le cerveau, permettant d'éviter les symptômes de sevrage. Il existe aussi des similitudes entre les cas graves d'arrêt brutal d'alcool (delirium tremens) et certains cas d'arrêt brutal du baclofène (à haute dose), dans les deux cas on peut observer des crises d'épilepsie, des confusions mentales et des hallucinations. Cela va aussi dans le sens de mécanismes communs d'action du baclofène et de l'alcool, c'est-à-dire dans le sens de l'hypothèse qui propose que le baclofène est un traitement de substitution.

L'activation du récepteur GABA-B par le baclofène. Le baclofène est un agoniste sélectif du récepteur GABA-B, ce qui veut dire qu'il active le récepteur GABA-B et qu'on ne lui connaît pas d'autre action sur un autre type de récepteur. Le récepteur GABA-B est très complexe, il est impliqué dans beaucoup de processus physiologiques, et, si le baclofène semble impliqué dans l'addiction à l'alcool (ou d'autres addictions), l'activation du GABA-B par le baclofène a beaucoup d'autres effets que de rendre indifférent à l'alcool. Le baclofène a démontré des propriétés anxiolytiques, analgésiques (névralgies faciales, neuropathies diabétiques, certaines migraines), anorexigènes et anticancéreuses, et il a été utilisé avec succès dans le traitement du reflux gastro-œsophagien. Le baclofène produit aussi beaucoup d'effets indésirables, on l'a vu. Étant donné que le baclofène agit de façon spécifique sur les récepteurs GABA-B, cela signifie que ceux-ci sont impliqués dans tous ces effets. Le GABA-B est un récepteur très complexe, composé de plusieurs protéines, et on peut raisonnablement espérer trouver des molécules qui agiront plus spécifiquement sur certains sites de fixation sur le GABA-B, pour obtenir des effets plus sélectifs. Des molécules sont ainsi en développement, dont on pourrait espérer, par exemple, qu'elles aient un effet sélectif sur la prise d'alcool, sans produire d'effets indésirables.

Notes

1. OMS, *Mortality and Burden of Disease Attributable to Selected Major Risks*, Genève, Suisse, 2009.

2. Rehm J., Mathers C., Popova S., Thavorncharoensap M., Teerawattananon Y., Patra J., « Global burden of disease and injury and economic cost attributable to alcohol use and alcohol-use disorders », *Lancet*, Jun 27, 373 (9682), 2223-33, 2009.

3. Denoël, 2008.

4. Ameisen O., « Naltrexone treatment for alcohol dependency », *JAMA*, Aug 24, 294 (8), 899-900, author reply 900, 2005 ; « Complete and prolonged suppression of symptoms and consequences of alcohol-dependence using high-dose baclofen : a self-case report of a physician », *Alcohol Alcohol.*, Mar-Apr, 40 (2), 147-50, 2005.

5. Rolland B., Deheul S., Danel T., Bordet R., Cottencin O., « Un dispositif de prescription hors AMM : exemple du baclofène », *Thérapie*, 65, 511-518, 2010.

6. Smith C.R., LaRocca N.G., Giesser B.S., Scheinberg L.C., « High-dose oral baclofen : experience in patients with multiple sclerosis », *Neurology*, 41, 1829-31, 1991.

7. Kessler R.C., Sonnega A., Bromet E., Hughes M., Nelson C.B., « Posttraumatic stress disorder in the National Comorbidity Survey », *Arch. Gen. Psychiatry*, 52, 1048-1060, 1995.

8. de Beaurepaire *et al.*, « Comparison of self-reports and biological measures for alcohol, tobacco, and illicit drugs consumption in psychiatric inpatients », *Eur. Psychiatry*, 22, 540-548, 2007.

9. Voir par exemple Ayer L.A., Harder V.S., Rose G.L., Helzer J.E., « Drinking and stress : an examination of sex and stressor differences using IVR-based daily data », *Drug Alcohol Depend*, Jun 1, 115 (3), 205-12, 2011.

10. Kessler R.C., Berglund P., Demler O., Jin R., Merikangas K.R., Walters E.E., « Lifetime prevalence and age-of-onset distributions of DSM-IV disorders in the National Comorbidity Survey Replication », *Arch. Gen. Psychiatry*, 62, 593-602, 2005.

11. King W.C., Chen J.Y., Mitchell J.E., Kalarchian M.A., Steffen K.J., Engel S.G., Courcoulas A.P., Pories W.J., Yanovski S.Z., « Prevalence of alcohol use disorders before and after bariatric surgery alcohol use disorders and bariatric surgery », *JAMA*, Jun 20 ; 307(23) : 2516-25, 2012.

12. Stahl S.M., *Stahl's Essential Psychopharmacology*, Cambridge University Press, New York, 2005.

13. Buckner J.D., Ledley D.R., Heimberg R.G., Schmidt N.B., « Treating comorbid social anxiety and alcohol use disorders : combining motivation enhancement therapy with cognitive-behavioral therapy », *Clin. Case Stud.*, Jun, 7 (3), 208-223, 2008.

14. Communication du 24 avril 2012 : « De nouvelles données relatives a l'utilisation et à la sécurité d'emploi du baclofène (Lioresal et générique) dans le traitement de l'alcoolo-dépendance conduisent l'Agence française de sécurité sanitaire des produits de santé (Afssaps) à actualiser son point d'information de juin 2011. Si l'efficacité du baclofène dans la prise en charge de l'alcoolo-dépendance n'est pas encore démontrée à ce jour, de nouvelles données observationnelles montrent des bénéfices cliniques chez certains patients. Concernant spécifiquement cette utilisation hors du cadre actuel de l'autorisation de mise sur le marché, les données de pharmacovigilance sont très limitées, mais ne remettent pas en

cause la poursuite de ce type de traitement. Cependant, une meilleure connaissance du profil de sécurité d'emploi du baclofène dans ce cadre est absolument nécessaire et justifie de maintenir une surveillance très active de l'Afssaps et des professionnels de santé. L'Afssaps rappelle que la prise en charge de l'alcoolo-dépendance implique une approche globale par des médecins expérimentés dans le suivi de ce type de patients dépendants. Le recours au baclofène doit être considéré au cas par cas et avec une adaptation posologique individuelle afin de garantir dans le temps la dose utile pour chaque patient. Au mois d'avril 2012, l'Afssaps a autorisé le lancement d'un essai clinique contrôlé, chez des patients présentant une consommation d'alcool à haut risque qui seront suivis pendant au minimum un an. Face à l'enjeu de santé publique que représente la lutte contre l'alcoolisme, l'Agence encourage le développement d'autres études que ce soit de la part d'équipes académiques ou d'industriels afin d'optimiser l'emploi de cette molécule. Ce point d'information fera l'objet d'une nouvelle actualisation dans un délai de 6 mois. »

15. http://www.baclofene.fr/portal.php.

16. Chick J., Nutt D.J., « Substitution therapy for alcoholism : time for a reappraisal ? », *J. Psychopharmacol.*, 26, 205-212, 2012.

17. Arima H., Oiso Y., « Positive effect of baclofen on body weight reduction in obese subjects : a pilot study », *Intern. Med.*, 49 (19), 2043-7, 2010.

18. Pfefferbaum A., Sullivan E.V., Mathalon D.H., Shear P.K., Rosenbloom M.J., Lim K.O., « Longitudinal changes in magnetic resonance imaging brain volumes in abstinent and relapsed alcoholics », *Alcohol Clin. Exp. Res.*, 19, 1177-91, 1995.

19. Rigal L., Alexandre-Dubroeucq C., de Beaurepaire R., Le Jeunne C., Jaury P., « Abstinence and "low risk" consumption one year after the initiation of high-dose baclofen : a retrospective study among "high risk" drinkers », *Alcohol Alcohol.*, Jul-Aug ; 47 (4) : 439-42, 2012.

20. Article de Bérénice Rocfort-Giovanni paru dans *Le Nouvel Observateur* du 18 août 2011, intitulé « Les croisés du baclofène ».

21. Rolland B. *et al.*, art. cit. 2010.

22. Cuny L., Joussaume B., *Indifférence*, Le Publieur, 2012.

23. Addolorato G., Caputo F., Capristo E., Domenicali M., Bernardi M., Janiri L., Agabio R., Colombo G., Gessa G. L. and Gasbarrini G., « Baclofen efficacy in reducing alcohol craving and intake : a preliminary doubleblind randomized controlled study », *Alcohol Alcohol.*, 37, 504-8, 2002. Addolorato G., Leggio L., Ferrulli A., Cardone S., Vonghia L., Mirijello A., Abenavoli L., D'Angelo C., Caputo F., Zambon A., Haber P.S., Gasbarrini G., « Effectiveness and safety of baclofen for maintenance of alcohol abstinence in alcohol-dependent patients with liver cirrhosis : randomised, double-blind controlled study », *Lancet*, Dec 8 ; 370 (9603) : 1915-22, 2007. Addolorato G., Leggio L., Ferrulli A., Cardone S., Bedogni G., Caputo F., Gasbarrini G., Landolfi R. ; Baclofen Study Group, « Dose-response effect of baclofen in reducing daily alcohol intake in alcohol dependence : secondary analysis of a randomized, double-blind, placebo-controlled trial », *Alcohol Alcohol.*, 46, 312-317, 2011.

24. Schuckit M.A., « Alcohol-use disorders », *Lancet*, 373, 492-501, 2009.

25. Addolorato G. *et al.*, art. cit., 2002, 2007, 2011.

26. Voir les références note 4, p. 193.

27. Agabio R., Marras P., Addolorato G., Carpiniello B., Gessa G.L., « Baclofen suppresses alcohol intake and craving for alcohol in a schizophrenia alcohol-dependent patient : a case report », *J. Clin. Psychopharmacol.*, 27, 319-322, 2007. Bucknam W., « Suppression of symptoms of alcohol dependence and craving using high-dose baclofen », *Alcohol Alcohol.*, 42, 158-160, 2007. Pastor A., Jones D.M.L., Currie J., « High-dose baclofen for treatment-resistant alcohol dependence », *J. Clin. Psychopharmacol.*, 32, 266-8, 2012.

28. Ameisen O., de Beaurepaire R., « Suppression de la dépendance à l'alcool et de la consommation d'alcool par le baclofène à haute dose : un essai en ouvert », *Ann. Méd. Psychol.*, 168, 159-162, 2010. Dore G.M., Lo K., Juckes L., Bezyan S., Latt N., « Clinical experience with baclofen in the management of alcohol-dependent patients with psychiatric comorbidity : a selected case series », *Alcohol Alcohol.*, 46, 714-720, 2011. Rigal L., art. cit., 2012.

29. de Beaurepaire R., « Suppression of alcohol dependence using baclofen : a 2-year observational study of 100 patients », *Front. Psychiatry*, 3, 103, 2012.

30. Enserink M., « Anonymous alcoholic bankrolls trial of controversial therapy », *Science*, 332, 653, 2011.

31. Mann K., Bladström A., Torup L., Gual A., van den Brink W., « Extending the Treatment Options in Alcohol Dependence : A Randomized Controlled Study of As-Needed Nalmefene ». *Biol Psychiatry*, 2012 Dec 10.

32. Schuller H.M., Al-Wadei H.A., Majidi M., « GABA B receptor is a novel drug target for pancreatic cancer », *Cancer*, Feb 15, 112 (4), 767-78, 2008.

33. Beales P.E., Hawa M., Williams A.J., Albertini M.C., Giorgini A., Pozzilli P., « Baclofen, a gamma-aminobutyric acid-b receptor agonist, delays diabetes onset in the non-obese diabetic mouse », *Acta Diabetol.*, Mar, 32 (1), 53-6, 1995.

34. Sato I., Arima H., Ozaki N., Ozaki N., Watanabe M., Goto M., Shimizu H., Hayashi M., Banno R., Nagasaki H., Oiso Y., « Peripherally administered baclofen reduced food intake and body weight in db/db as well as diet-induced obese mice », *FEBS Lett.*, Oct 16, 581 (25), 4857-64, 2007.

35. Arima H. et Oiso Y., art. cit., 2010.

Références complémentaires

Ameisen O., « Suppressing addiction using high-dose baclofen, rather than perpetuating it using substitution therapy », *J. Psychopharmacol.*, Jul, 26 (7), 1042-3, 2012 ; « Baclofen : what's in a word ? A world of difference », *Alcohol Alcohol.*, Jul-Aug, 46 (4), 503, author reply 504, 2011 ; « High-dose baclofen for suppression of alcohol dependence », *Alcohol. Clin. Exp. Res.*, May, 35 (5), 845-6, author reply 847, 2011 ; « Treatment of alcohol-use disorders », *Lancet*, May 2, 373 (9674), 1519, author reply 1519-20, 2009 ; « Are the effects of gamma-hydroxybutyrate (GHB) treatment partly physiological in alcohol dependence ? », *Am. J. Drug Alcohol Abuse*, 34 (2), 235-6, author reply 237-8, 2008 ; « Topiramate as treatment for alcohol dependence », *JAMA*, Jan 30, 299 (4), 405, author reply 406-7, 2008 ; « Gamma-hydroxybutyrate (GHB)-deficiency in alcohol-dependence ? », *Alcohol Alcohol.*, Sep-Oct, 42 (5), 506, 2007 ; « Baclofen as a craving-suppressing agent », *CNS Drugs*, 21 (8), 693, 2007.

Aubin H.J., Benyamina A., Karila L., Luquiens A., Reynaud M., « Stratégies actuelles de prise en charge dans les troubles de l'alcoolisation », *Rev. Prat.*, 61, 1373-7, 2011.

Birkmayer W., Danielczynk W., Weiler G., *Wiener medizinische Wochenschrift*, 117, 7, 1967.

Paoletti O., « La prescription hors AMM », *Neurologie*, 6, 46-48, 2003.

Rocfort-Giovanni R., « Les croisés du baclofène », *Le Nouvel Observateur*, 11 août 2011.

Rolland B., Deheul S., Danel T., Bordet R., Cottencin O., « A case of de novo seizures following a probable interaction of high-dose baclofen with alcohol », *Alcohol Alcohol.*, Sep-Oct ; 47 (5) : 577-80, 2012.

Remerciements

Je remercie Olivier Ameisen, sans qui ce livre n'aurait jamais pu exister.

Je remercie les équipes soignantes du secteur de psychiatrie de Vitry-sur-Seine, pour leur soutien et leur patience, et pour leur écoute des malades.

Et je remercie Kiki et Dao, les premières, forcément,

Renaud de Beaurepaire

Je remercie Michèle Leblond pour son décryptage réfléchi et efficace de ces entretiens.

Je remercie Odile El-Meddeb pour sa lecture attentive du manuscrit et le bien-fondé de ses remarques.

Claude Servan-Schreiber

Table

Composition IGS-CP
Impression CPI Bussière en mars 2013
à Saint-Amand-Montrond (Cher)
Éditions Albin Michel
22, rue Huyghens, 75014 Paris
www.albin-michel.fr
ISBN : 978-2-226-24843-5
N° d'édition : 20711/01. – N° d'impression : 2001524.
Dépôt légal : avril 2013.
Imprimé en France.